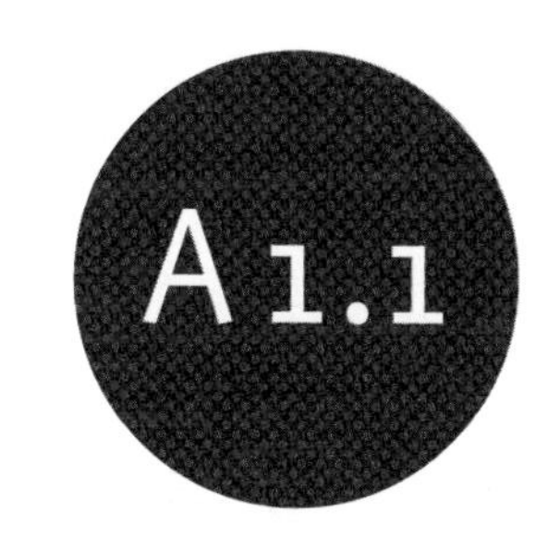

Sandra Evans
Angela Pude
Franz Specht

MENSCHEN

Deutsch als Fremdsprache
Kursbuch

Hueber Verlag

Für die hilfreichen Hinweise bei der Entwicklung des Lehrwerks danken wir:
Ebal Bolacio, Goethe-Institut/UERJ, Brasilien
Esther Haertl, Nürnberg, Deutschland
Miguel A. Sánchez, EOI León, Spanien
Claudia Tausche, Ludwigsburg, Deutschland
Anja Caroline Weber, Volkshochschule Wiesbaden, Deutschland
Katrin Ziegler, Università degli studi di Macerata, Italien

Fachliche Beratung:
Prof. Dr. Christian Fandrych, Herder-Institut, Universität Leipzig

Fotoproduktion:
Fotograf: Florian Bachmeier, Schliersee
Organisation: Iciar Caso, Weßling

Zusätzliche interaktive Lernangebote finden Sie unter
www.hueber.de/menschen

4. 3. 2. | Die letzten Ziffern
2024 23 22 21 20 | bezeichnen Zahl und Jahr des Druckes.
Alle Drucke dieser Auflage können, da unverändert,
nebeneinander benutzt werden.
1. Auflage

Umschlaggestaltung: Sieveking · Agentur für Kommunikation, München
Filme: Mingamedia Entertainment GmbH, München
Layout und Satz: Sieveking · Agentur für Kommunikation, München
Verlagsredaktion: Marion Kerner, Gisela Wahl, Jutta Orth-Chambah, Hueber Verlag, Ismaning
Druck und Bindung: Mohn Media Mohndruck GmbH, Gütersloh
Printed in Germany
ISBN 978-3-19-361901-3

Art. 530_25125_001_02

INHALT

MODUL 1

1 BEGRÜSSUNG, BEFINDEN
Hallo! Ich bin Nicole ... 9

2 ANGABEN ZUR PERSON, BERUFE
Ich bin Journalistin. 13

3 FAMILIE
Das ist meine Mutter. 17

MODUL 2

4 EINKAUFEN, MÖBEL
Der Tisch ist schön! 25

5 GEGENSTÄNDE, PRODUKTE
Was ist das? – Das ist ein F. 29

6 BÜRO & TECHNIK
Ich brauche kein Büro. 33

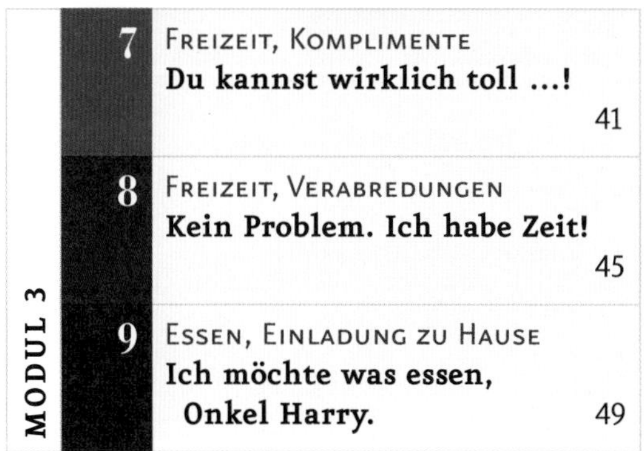

MODUL 3

7 FREIZEIT, KOMPLIMENTE
Du kannst wirklich toll ...! 41

8 FREIZEIT, VERABREDUNGEN
Kein Problem. Ich habe Zeit! 45

9 ESSEN, EINLADUNG ZU HAUSE
Ich möchte was essen, Onkel Harry. 49

MODUL 4

10 REISEN, VERKEHRSMITTEL
Ich steige jetzt in die U-Bahn ein. 57

11 TAGESABLAUF, VERGANGENES
Was hast du heute gemacht? 61

12 FESTE, VERGANGENES
Was ist denn hier passiert? 65

Piktogramme und Symbole

Hörtext auf CD ▶1 02

Aufgabe im Arbeitsbuch AB

Zusätzliches interaktives Lernangebot Beruf

Grammatik

GRAMMATIK

	arbeiten	haben
ich	arbeite	habe
du	arbeitest	hast
Sie	arbeiten	haben

Kommunikation

KOMMUNIKATION
Welche Sprachen sprichst du / sprechen Sie?
Ich spreche sehr gut / gut / ein bisschen ...

Hinweis

man = jeder/ alle
INFO

Vorwort 6

Die erste Stunde im Kurs 8

Modul	Lektion	Thema / Titel	Seite	INHALTE
MODUL 1	1	BEGRÜSSUNG, BEFINDEN **Hallo! Ich bin Nicole ...**	9	**Hören/Sprechen:** sich begrüßen/verabschieden; nach dem Befinden fragen; sich und andere vorstellen
	2	ANGABEN ZUR PERSON, BERUFE **Ich bin Journalistin.**	13	**Sprechen:** über den Beruf und Persönliches sprechen **Lesen:** Visitenkarten, Internet-Profil **Schreiben:** einen Steckbrief / kurzen Text über sich schreiben
	3	FAMILIE **Das ist meine Mutter.**	17	**Hören/Lesen:** Drehbuchausschnitt **Sprechen:** über die Familie und über Sprachkenntnisse sprechen
MODUL 2	4	EINKAUFEN, MÖBEL **Der Tisch ist schön!**	25	**Hören:** Beratungsgespräche / Hilfe anbieten **Sprechen:** nach Preisen fragen und Preise nennen; etwas bewerten
	5	GEGENSTÄNDE, PRODUKTE **Was ist das? – Das ist ein F.**	29	**Sprechen:** nach Wörtern fragen und Wörter nennen; um Wiederholung bitten; etwas beschreiben; sich bedanken **Lesen:** Produktinformationen **Schreiben:** ein Formular ausfüllen
	6	BÜRO & TECHNIK **Ich brauche kein Büro.**	33	**Hören:** Telefongespräche **Sprechen:** Telefonstrategien **Lesen:** E-Mail und SMS
MODUL 3	7	FREIZEIT, KOMPLIMENTE **Du kannst wirklich toll ...!**	41	**Hören:** Aussagen zu Freizeitaktivitäten **Sprechen:** Komplimente machen; über Hobbys/Fähigkeiten sprechen; um etwas bitten; sich bedanken
	8	FREIZEIT, VERABREDUNGEN **Kein Problem. Ich habe Zeit!**	45	**Sprechen:** sich verabreden; einen Vorschlag machen und darauf reagieren **Lesen:** SMS, Chat **Schreiben:** Einladung/Absage
	9	ESSEN, EINLADUNG ZU HAUSE **Ich möchte was essen, Onkel Harry.**	49	**Hören:** Gespräch über Vorlieben beim Essen **Sprechen:** über Essgewohnheiten sprechen; Konversation beim Essen **Lesen:** Comic
MODUL 4	10	REISEN, VERKEHRSMITTEL **Ich steige jetzt in die U-Bahn ein.**	57	**Hören:** Durchsagen **Sprechen:** sich informieren; ein Telefonat beenden
	11	TAGESABLAUF, VERGANGENES **Was hast du heute gemacht?**	61	**Sprechen:** über Vergangenes sprechen **Lesen:** Terminkalender, E-Mail **Schreiben:** einen Tagesablauf beschreiben
	12	FESTE, VERGANGENES **Was ist denn hier passiert?**	65	**Hören:** Interviews **Sprechen:** über Feste und Reisen sprechen **Lesen:** Informationstexte

Aktionsseiten zu Lektion 1–12 73

Alphabetische Wortliste 97

INHALT

WORTFELDER	GRAMMATIK	
Länder Alphabet	Verbkonjugation Singular W-Fragen	MODUL-PLUS **Lesemagazin:** 21 Das bin ich ... **Film-Stationen:** *Clips 1–3* 22 **Projekt Landeskunde:** 23 Heidi Klum **Ausklang:** 24 Wo wohnt Winfried?
Berufe Familienstand Zahlen 1–100	Verbkonjugation Singular und Plural Negation mit *nicht* Wortbildung *-in*	
Familie Sprachen	Ja/Nein-Fragen, *ja – nein – doch* Possessivartikel *mein/dein* Verben mit Vokalwechsel	
Zahlen: 100 – 1.000.000 Möbel Adjektive	definiter Artikel *der/das/die* Personalpronomen *er/es/sie*	MODUL-PLUS **Lesemagazin:** 37 Und das ist ... meine Uhr **Film-Stationen:** *Clips 4–6* 38 **Projekt Landeskunde:** 39 Der Nachtflohmarkt Leipzig **Ausklang:** 40 Hubertus Grille braucht eine Brille.
Farben, Dinge, Materialien, Formen	indefiniter Artikel *ein/ein/eine* Negativartikel *kein/kein/keine*	
Büro Computer	Singular – Plural Akkusativ	
Freizeitaktivitäten	Modalverb *können* Satzklammer	MODUL-PLUS **Lesemagazin:** 53 Anjas Veranstaltungstipps **Film-Stationen:** *Clips 7–9* 54 **Projekt Landeskunde:** 55 Labskaus – eine norddeutsche Spezialität **Ausklang:** 56 Heute ist *der* Tag!
Tageszeiten Wochentage Uhrzeiten Freizeitaktivitäten	Verbposition im Satz temporale Präpositionen *am, um*	
Lebensmittel und Speisen	Konjugation *mögen, „möchte"* Wortbildung Nomen + Nomen	
Verkehrsmittel Reisen	trennbare Verben	MODUL-PLUS **Lesemagazin:** 69 Unterwegs – Der Reise-Blog von Anja Ebner **Film-Stationen:** *Clips 10–12* 70 **Projekt Landeskunde:** 71 Unterwegs in Zürich **Ausklang:** 72 PartyMax
Alltagsaktivitäten	Perfekt mit *haben* temporale Präpositionen *von ... bis, ab*	
Jahreszeiten Monate	Perfekt mit *sein* temporale Präposition *im*	

Liebe Leserinnen, liebe Leser,

Menschen ist ein Lehrwerk für Anfänger. Es führt Lernende ohne Vorkenntnisse in jeweils zwei Bänden zu den Sprachniveaus A1, A2 und B1 des Gemeinsamen Europäischen Referenzrahmens und bereitet auf die gängigen Prüfungen der jeweiligen Sprachniveaus vor.

Menschen geht bei seiner Themenauswahl von den Vorgaben des Gemeinsamen Europäischen Referenzrahmens aus und greift zusätzlich Inhalte aus dem aktuellen Leben in Deutschland, Österreich und der Schweiz auf. Das Kursbuch beinhaltet 12 kurze Lektionen, die in vier Modulen mit je drei Lektionen zusammengefasst sind.

Das Kursbuch

Die 12 Lektionen des Kursbuchs umfassen je vier Seiten und folgen einem transparenten, wiederkehrenden Aufbau:

Einstiegsseite
Der Einstieg in jede Lektion erfolgt durch ein interessantes Foto, das oft mit einem „Hörbild" kombiniert wird und den Einstiegsimpuls darstellt. Dazu gibt es erste Aufgaben, die in die Thematik der Lektion einführen. Die Einstiegssituation wird auf der Doppelseite wieder aufgegriffen und vertieft. Außerdem finden Sie hier einen Kasten mit den Lernzielen der Lektion.

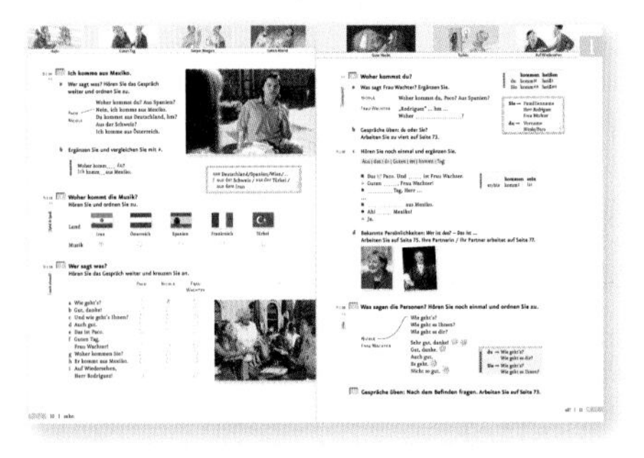

Doppelseite
Ausgehend von den Einstiegen werden auf einer Doppelseite neue Strukturen und Redemittel eingeführt und geübt. Das neue Wortfeld der Lektion wird in der Kopfzeile prominent und gut memorierbar als „Bildlexikon" präsentiert. Übersichtliche Grammatik-, Info- und Redemittelkästen machen den neuen Stoff bewusst. In den folgenden Aufgaben werden die Strukturen zunächst meist in gelenkter, dann in freierer Form geübt. In die Doppelseite sind zudem Übungen eingebettet, die sich im Anhang auf den „Aktionsseiten" befinden. Diese Aufgaben ermöglichen echte Kommunikation im Kursraum und bieten authentische Sprech- und Schreibanlässe.

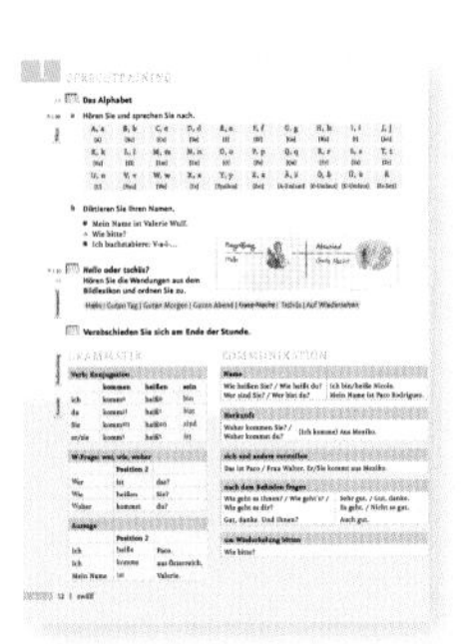

Abschlussseite
Auf der vierten Seite jeder Lektion ist eine Aufgabe zum Sprechtraining, Schreibtraining oder zu einem Mini-Projekt zu finden, die den Stoff der Lektion nochmals aufgreift. Als Schlusspunkt jeder Lektion werden hier die neuen Strukturen und Redemittel systematisch zusammengefasst und transparent dargestellt.

Modul-Plus-Seiten
Vier zusätzliche Seiten runden jedes Modul ab und bieten weitere interessante Informationen und Impulse, die den Stoff des Moduls nochmals über andere Kanäle verarbeiten lassen.

Lesemagazin: Magazinseite mit vielfältigen Lesetexten und Aufgaben
Film-Stationen: Fotos und Aufgaben zu den Filmsequenzen der *Menschen*-DVD
Projekt Landeskunde: ein interessantes Projekt, das ein landeskundliches Thema aufgreift und einen zusätzlichen Lesetext bietet
Ausklang: ein Lied mit Anregungen für einen kreativen Einsatz im Unterricht

Zusätzliche interaktive Lernangebote
Der Stoff aus *Menschen* kann zu Hause selbstständig vertieft werden. Das fakultative Zusatzprogramm für die Lernenden ist passgenau mit dem Kursbuch verzahnt und befindet sich im Lehrwerkservice unter www.hueber.de/menschen.

Übersicht über die Verweise:

interessant?	... ein Lese- oder Hörtext (mit Didaktisierung) oder Zusatzinformationen, die das Thema aufgreifen und aus einem anderen Blickwinkel betrachten
noch einmal?	... hier kann man den Kursbuch-Hörtext noch einmal hören und andere Aufgaben dazu lösen
Spiel & Spaß	... eine kreative, spielerische Aufgabe
Film	... ein Minifilm, der an das Kursbuch-Thema anknüpft
Beruf	... erweitert oder ergänzt das Thema um einen beruflichen Aspekt
Diktat	... ein kleines interaktives Diktat
Audiotraining	... Automatisierungsübungen für zu Hause und unterwegs zu den Redemitteln und Strukturen
Karaoke	... interaktive Übungen zum Nachsprechen und Mitlesen

Im Lehrwerkservice finden Sie außerdem zahlreiche weitere Materialien zu *Menschen* sowie die Audio-Dateien zum Kursbuch als mp3-Downloads.

Viel Spaß beim Lernen und Lehren mit *Menschen* wünschen Ihnen

Autoren und Verlag

DIE ERSTE STUNDE IM KURS: *HALLO!*

1 Wie heißen Sie? Sagen Sie Ihren Namen.

2 Wer ist das? Sagen Sie den Namen.

Hallo! Ich bin Nicole … 1

Hören/Sprechen: sich begrüßen/verabschieden: *Hallo. – Tschüs.*; nach dem Befinden fragen: *Wie geht's?*; sich und andere vorstellen: *Das ist Paco. Er kommt aus …*

Wortfelder: Länder, Alphabet

Grammatik: Konjugation Singular: *ich heiße, du heißt, …*; W-Fragen: *Woher …? / Wie …?*

▶1 02 **1 Hören Sie. Wie heißt das Lied?**
Welche deutschen Namen kennen Sie noch?

AB **2 Und wer bist du?**

▶1 03 **a** Hören Sie und kreuzen Sie an.

Ich heiße
○ Winfried.
○ Paco.

Ich bin
○ Nicole.
○ Winfried.

b Kettenspiel: Sprechen Sie.

▲ Hallo! Ich bin …
Und wer bist du?
■ Hallo, ich heiße …

c Zeichnen Sie einen Sitzplan. Notieren Sie die Namen. Wer weiß die meisten Namen?

Hallo | Guten Tag | Guten Morgen | Guten Abend

▶ 1 04 AB

3 Ich komme aus Mexiko.

a **Wer sagt was? Hören Sie das Gespräch weiter und ordnen Sie zu.**

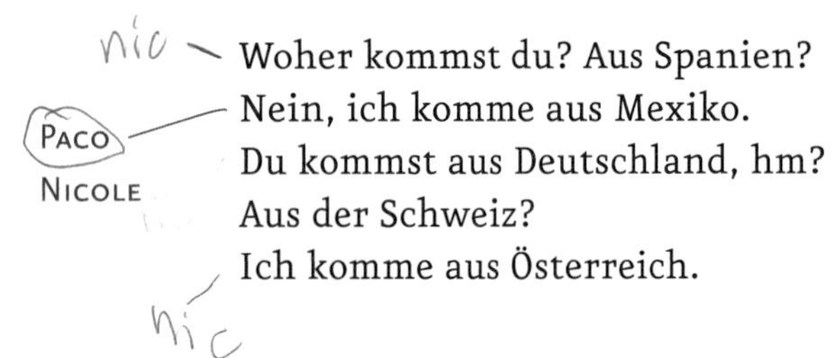

Paco — Woher kommst du? Aus Spanien?
Nicole — Nein, ich komme aus Mexiko.
Du kommst aus Deutschland, hm?
Aus der Schweiz?
Ich komme aus Österreich.

b **Ergänzen Sie und vergleichen Sie mit a.**

GRAMMATIK

Woher komm___ du?
Ich komm___ aus Mexiko.

INFO

aus Deutschland/Spanien/Wien/...
! aus der Schweiz / aus der Türkei / aus dem Iran

▶ 1 05 AB

Spiel & Spaß

4 Woher kommt die Musik?

Hören Sie und ordnen Sie zu.

Land	Iran	Österreich	Spanien	Frankreich	Türkei
Musik	○	○	○	○	○

▶ 1 06

noch einmal?

5 Wer sagt was?

Hören Sie das Gespräch weiter und kreuzen Sie an.

	Paco	Nicole	Frau Wachter
a Wie geht's?	○	○	○
b Gut, danke!	○	○	○
c Und wie geht's Ihnen?	○	○	○
d Auch gut.	○	○	○
e Das ist Paco.	○	○	○
f Guten Tag, Frau Wachter!	○	○	○
g Woher kommen Sie?	○	○	○
h Er kommt aus Mexiko.	○	○	○
i Auf Wiedersehen, Herr Rodriguez!	○	○	○

AB
6 Woher kommst du?

interessant?

a Was sagt Frau Wachter? Ergänzen Sie.

NICOLE Woher kommst du, Paco? Aus Spanien?

FRAU WACHTER „Rodriguez“ … hm …
Woher ________ ______?

GRAMMATIK

	kommen	heißen
du	kommst	heißt
Sie	kommen	heißen

INFO

Sie → Familienname
Herr Rodriguez
Frau Wachter

du → Vorname
Nicole/Paco

b Gespräche üben: *du* oder *Sie*?
Arbeiten Sie zu viert auf Seite 73.

▶1 07 **c Hören Sie noch einmal und ergänzen Sie.**

Aus | das | Er | Guten | ~~ist~~ | kommt | Tag

■ Das *ist* Paco. Und ______ ist Frau Wachter.
▲ Guten ______, Frau Wachter!
● __________ Tag, Herr …
…
■ ____ __________ aus Mexiko.
● Ah! ______ Mexiko!
▲ Ja.

GRAMMATIK

	kommen	sein
er/sie	kommt	ist

d Bekannte Persönlichkeiten: *Wer ist das? – Das ist …*
Arbeiten Sie auf Seite 75. Ihre Partnerin / Ihr Partner arbeitet auf Seite 77.

▶1 08
AB
Film
7 Was sagen die Personen? Hören Sie noch einmal und ordnen Sie zu.

NICOLE
FRAU WACHTER

Wie geht's?
Wie geht es Ihnen?
Wie geht es dir?

Sehr gut, danke!
Gut, danke.
Auch gut.
Es geht.
Nicht so gut.

KOMMUNIKATION

du → Wie geht's?
Wie geht es dir?

Sie → Wie geht's?
Wie geht es Ihnen?

8 Gespräche üben: Nach dem Befinden fragen. Arbeiten Sie auf Seite 73.

1 SPRECHTRAINING

AB **9** **Das Alphabet**

▶ 1 09 Diktat

a Hören Sie und sprechen Sie nach.

A, a [A]	B, b [Be]	C, c [Ce]	D, d [De]	E, e [E]	F, f [Ef]	G, g [Ge]	H, h [Ha]	I, i [I]	J, j [Jot]
K, k [Ka]	L, l [El]	M, m [Em]	N, n [En]	O, o [O]	P, p [Pe]	Q, q [Qu]	R, r [Er]	S, s [Es]	T, t [Te]
U, u [U]	V, v [Vau]	W, w [We]	X, x [Ix]	Y, y [Ypsilon]	Z, z [Zet]	Ä, ä [A-Umlaut]	Ö, ö [O-Umlaut]	Ü, ü [U-Umlaut]	ß [Es-Zett]

b Diktieren Sie Ihren Namen.

■ Mein Name ist Valerie Wulf.
▲ Wie bitte?
■ Ich buchstabiere: V-a-l-…

▶ 1 10 AB interessant?

10 ***Hallo oder tschüs?***
Hören Sie die Wendungen aus dem Bildlexikon und ordnen Sie zu.

Begrüßung	Abschied
Hallo	Gute Nacht

~~Hallo~~ | Guten Tag | Guten Morgen | Guten Abend | ~~Gute Nacht~~ | Tschüs | Auf Wiedersehen

11 **Verabschieden Sie sich am Ende der Stunde.**

GRAMMATIK

Audiotraining Karaoke

Verb: Konjugation

	kommen	heißen	sein
ich	komme	heiße	bin
du	kommst	heißt	bist
Sie	kommen	heißen	sind
er/sie	kommt	heißt	ist

W-Frage: wer, wie, woher

	Position 2	
Wer	ist	das?
Wie	heißen	Sie?
Woher	kommst	du?

Aussage

	Position 2	
Ich	heiße	Paco.
Ich	komme	aus Österreich.
Mein Name	ist	Valerie.

KOMMUNIKATION

Name

Wie heißen Sie? / Wie heißt du? Wer sind Sie? / Wer bist du?	Ich bin/heiße Nicole. Mein Name ist Paco Rodriguez.

Herkunft

Woher kommen Sie? / Woher kommst du?	(Ich komme) Aus Mexiko.

sich und andere vorstellen

Das ist Paco / Frau Walter. Er/Sie kommt aus Mexiko.

nach dem Befinden fragen

Wie geht es Ihnen? / Wie geht's? / Wie geht es dir?	Sehr gut. / Gut, danke. Es geht. / Nicht so gut.
Gut, danke. Und Ihnen?	Auch gut.

um Wiederholung bitten

Wie bitte?

Ich bin Journalistin. 2

1 Ich bin Diplom-Informatiker.

a Was meinen Sie? Wer ist wer? Sehen Sie die Fotos und die Visitenkarten an.

- ■ Das ist Markus Bäuerlein.
- ▲ Ja, das glaube ich auch.
- ● Nein, ich glaube, das ist …

▶1 11 **b Hören Sie und ordnen Sie zu.**

Hörtext	1	2	3	4
Visitenkarte	___	___	___	___

(A)
Diplom-Informatiker
Sven Henkenjohann
IT-Spezialist
Großbeerenstraße 88
10963 Berlin
Telefon: 030-253812120
Handy: 0163-909865651
sven@galaxsyst.com
www.galaxsyst.com

(B)
Dr. Barbara Meinhardt-Bäuerlein
– JOURNALISTIN –
Blumenallee 24
50858 Köln
Fon: 0221-4823717
Mobil: 0170-121989998
Mail: mb@x-media.de

(C)

(D)
NADINE VAN MECHELEN
Albrechtstraße 35
12167 Berlin
0152-12345430
nadinevm@vmbelge.be

Sprechen: über den Beruf und Persönliches sprechen: *Ich bin Journalistin. / Ich bin nicht verheiratet.*

Lesen: Visitenkarten, Internet-Profil

Schreiben: einen Steckbrief / kurzen Text über sich schreiben

Wortfelder: Berufe, Familienstand, Zahlen 1–100

Grammatik: Konjugation Singular und Plural: *haben, sein, arbeiten …*; Negation mit *nicht*; Wortbildung *-in*

AB **2**

Ich arbeite als Journalistin.

▶1 12 **a Hören Sie und ordnen Sie zu.**

Ich bin	Journalistin.
Ich arbeite als	X-Media.
Ich arbeite bei	Historikerin.

GRAMMATIK
Ich bin ...
Ich arbeite als ...
bei ...

b Was machen Sie? Was sind Sie von Beruf? Schreiben Sie Kärtchen und machen Sie ein Plakat. Hilfe finden Sie im Bildlexikon oder im Wörterbuch.

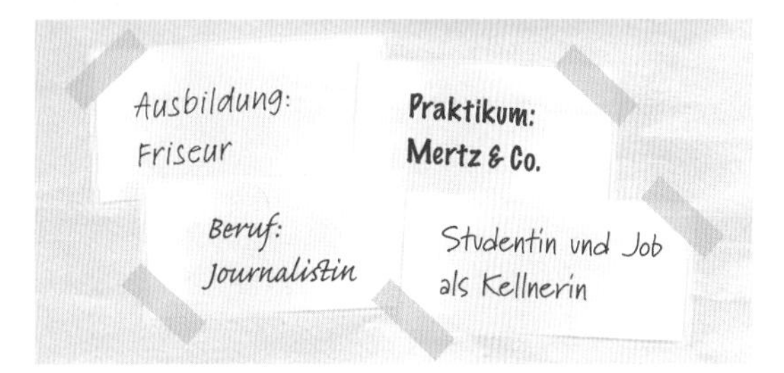

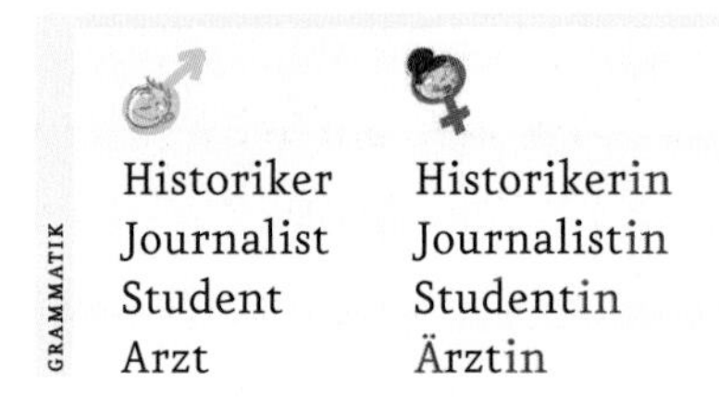

GRAMMATIK

♂	♀
Historiker	Historikerin
Journalist	Journalistin
Student	Studentin
Arzt	Ärztin

Beruf

c Suchen Sie im Kurs. Wer hat die Kärtchen geschrieben?

- ■ Carmen, was machst du beruflich?
- ● Ich mache eine Ausbildung als Friseurin.

KOMMUNIKATION
Was machen Sie / machst du beruflich?
Was sind Sie / bist du von Beruf?

Ich bin ... / Ich arbeite als ...
Ich bin Studentin/Schülerin.
Ich mache ein Praktikum bei ... / als ...
Ich mache eine Ausbildung bei ... / als ...
Ich habe einen Job als ...

GRAMMATIK

	arbeiten	haben
ich	arbeite	habe
du	arbeitest	hast
Sie	arbeiten	haben

d Schreiben Sie Ihr Internet-Profil: Arbeiten Sie zu zweit auf Seite 74.

AB **3**

Wir sind verheiratet.

interessant?

a Familienstand: Ordnen Sie zu.

GRAMMATIK
Wir sind verheiratet.
Wir sind nicht verheiratet.

◯ Wir sind geschieden.
④ Wir sind nicht verheiratet, aber Peter und ich leben zusammen.
◯ Wir haben ein Kind.
◯ Ich bin verheiratet.
◯ Ich bin Single. / Ich lebe allein.

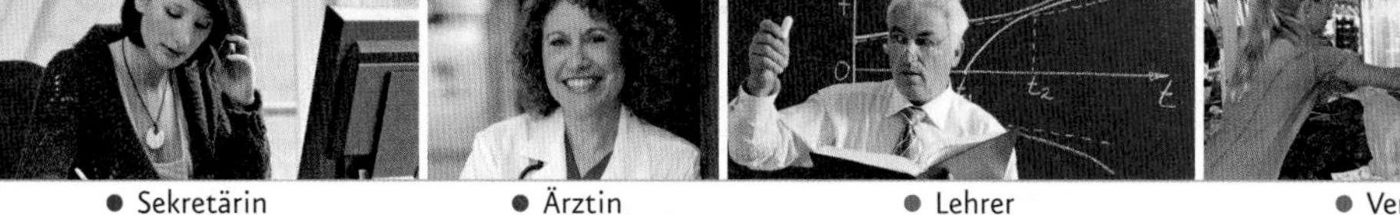

● Sekretärin ● Ärztin ● Lehrer ● Verkäufer ● Kellnerin

▶1 13 **b** **Hören Sie das Interview. Was ist richtig? Kreuzen Sie an.**

Film

Barbara und Markus sind	◯ geschieden.	◯ verheiratet.
Sie haben	◯ keine Kinder.	◯ zwei Kinder.
Sie	◯ leben zusammen.	◯ leben nicht zusammen.

INFO
- ein Kind
- zwei Kinder
- keine Kinder

▶1 14 **c** **Was haben die Personen auf Seite 13 gemeinsam? Hören Sie noch einmal, fragen und antworten Sie.**

wohnen in … | arbeiten als … | kommen aus … | …

■ Was haben Sven und Nadine gemeinsam?
▲ Sie wohnen in Berlin.

GRAMMATIK

	wohnen	arbeiten	sein	haben
wir	wohnen	arbeiten	sind	haben
ihr	wohnt	arbeitet	seid	habt
sie	wohnen	arbeiten	sind	haben

d **Gespräche üben: Was haben Sie gemeinsam? Arbeiten Sie auf Seite 74.**

AB **4**
Zahlen von 0 bis 100

▶1 15 **a** **Hören Sie und sprechen Sie nach. Ergänzen Sie die fehlenden Zahlen.**

0	1	2	3	4	5	6	7	8	9	10	11	12	13
null	eins	zwei	drei	vier	fünf	sechs	sieben	acht	neun	zehn	elf	zwölf	______

14	15	16	17	18
vierzehn	______	sechzehn	siebzehn	______

19	20	30	40	50	60
neunzehn	zwanzig	dreißig	______	fünfzig	sechzig

70	80	90	100
______	achtzig	______	______

b **Zahlen üben: Arbeiten Sie zu viert auf Seite 73.**

AB **5**
Wie alt bist du?

▶1 16 **a** **Hören Sie und kreuzen Sie an.**

Spiel & Spaß

Wie alt sind Sven und Nadine? ◯ 25. ◯ 35.
Wo wohnen sie? ◯ In Bonn. ◯ In Berlin.

INFO
62 = zweiundsechzig
35 = fünfunddreißig

b **Fragen Sie und spielen Sie „Echo".**

Alter | Wohnort | Beruf | Herkunft | Arbeitgeber | …

■ Wie alt bist du?
▲ Ich bin 34 Jahre alt.
■ Hey super – ich bin auch 34!

6
Texte verstehen: Stellen Sie andere Personen vor.

noch einmal?

Arbeiten Sie auf Seite 78. Ihre Partnerin / Ihr Partner arbeitet auf Seite 82.

2 SCHREIBTRAINING

AB 7 **Einen kurzen Text über sich schreiben**

Diktat

a Lesen Sie den Steckbrief und den Text und markieren Sie die Verben.

STECKBRIEF

Vorname: Mette
Familienname: Svendsen
Herkunft: Dänemark
Wohnort: Kopenhagen
Beruf: Studentin / Job als Kellnerin
Alter: 24
Familienstand: Single
Kinder: keine Kinder

Ich heiße Mette Svendsen und komme aus Dänemark. Ich wohne in Kopenhagen. Ich bin Studentin und habe einen Job als Kellnerin. Ich bin 24 Jahre alt, Single und habe keine Kinder.

b Und Sie? Ergänzen Sie den Steckbrief und schreiben Sie einen Text über sich selbst.

STECKBRIEF

Vorname:
Familienname:
Herkunft:
Wohnort:
Beruf:
Alter:
Familienstand:
Kinder:

Audiotraining

Karaoke

GRAMMATIK

Verb: Konjugation

	machen	arbeiten	haben	sein
ich	mache	arbeite	habe	bin
du	machst	arbeitest	hast	bist
er/sie	macht	arbeitet	hat	ist
wir	machen	arbeiten	haben	sind
ihr	macht	arbeitet	habt	seid
sie/Sie	machen	arbeiten	haben	sind
	auch so: wohnen, leben ...			

Präpositionen als, bei, in

als	Ich arbeite als Journalistin.
bei	Ich arbeite bei X-Media.
in	Ich lebe in Köln.

Wortbildung -in

♂	♀
der Journalist	die Journalistin
der Arzt	die Ärztin

Negation mit nicht

Wir leben nicht zusammen.

Sie wohnt nicht in Köln.

KOMMUNIKATION

über den Beruf sprechen

Was sind Sie / bist du von Beruf? Was machen Sie / machst du beruflich?	Ich bin/arbeite als ... bei ... Ich bin Student/Schülerin. Ich habe einen Job als ... Ich mache eine Ausbildung als ... / ein Praktikum bei ...

über Persönliches sprechen

Wo wohnen Sie / wohnst du? – Ich wohne/lebe in ...
Ich bin verheiratet/geschieden/Single.
Wir leben zusammen / nicht zusammen.
Ich habe ein Kind / zwei, drei ... Kinder / keine Kinder.
Wie alt sind Sie / bist du? – Ich bin ... Jahre alt.

Das ist meine Mutter. 3

Hören/Lesen: Drehbuchausschnitt

Sprechen: über die Familie: *Das sind meine Eltern.*; über Sprachkenntnisse: *Ich spreche sehr gut Englisch.*

Wortfelder: Familie, Sprachen

Grammatik: Ja/Nein-Fragen, *ja – nein – doch*; Possessivartikel *mein/dein*; Verben mit Vokalwechsel: *ich spreche – du sprichst*

▶ 1 17 **1 Sehen Sie das Foto an, hören Sie und kreuzen Sie an.**

	glaube ich	glaube ich nicht
a Die Frau auf dem Bild ist Herberts Mutter.	○	○
b Die Frau auf dem Bild ist Herberts Frau.	○	○

▶ 1 18 **2 Was sagt Mark? Hören Sie und kreuzen Sie an.**

Mark Poppenreuther (21)

	richtig	falsch
a Das sind meine Eltern.	○	○
b Sie sind Schauspieler.	○	○
c Sie leben in Frankfurt.	○	○
d Meine Schwester, mein Opa und ich sind auch Schauspieler.	○	○
e Ich studiere Physik.	○	○

AB **3**

Ich bin nicht verheiratet.

▶ 1 19 **a** **Lesen Sie den Drehbuch-Ausschnitt und hören Sie noch einmal. Ergänzen Sie dann die Tabelle.**

GRAMMATIK

	♂		♀	
ich	mein	Mann	meine	Mutter
du	dein	Vater	deine	Frau

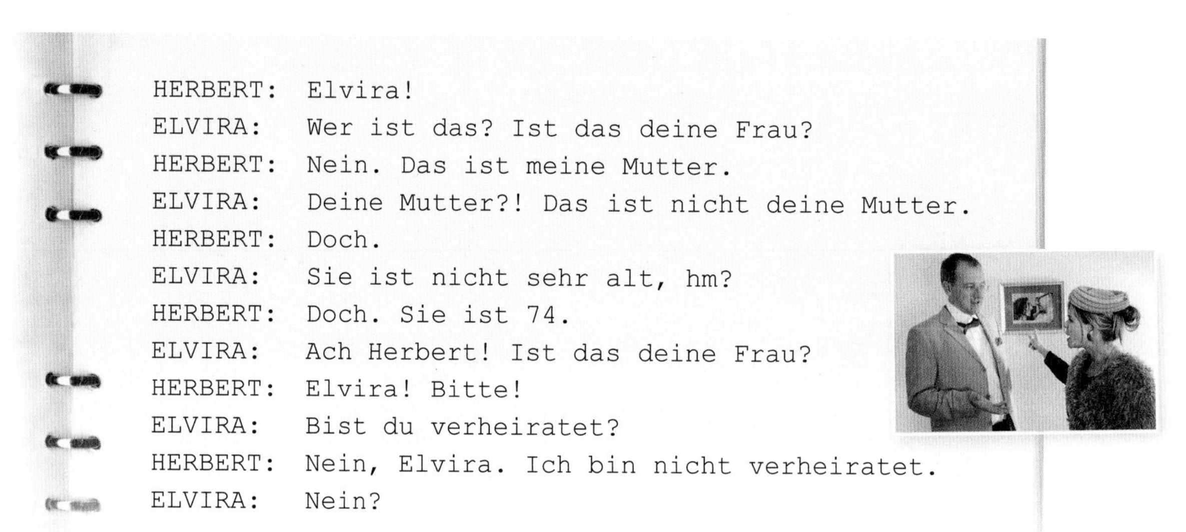

HERBERT: Elvira!
ELVIRA: Wer ist das? Ist das deine Frau?
HERBERT: Nein. Das ist meine Mutter.
ELVIRA: Deine Mutter?! Das ist nicht deine Mutter.
HERBERT: Doch.
ELVIRA: Sie ist nicht sehr alt, hm?
HERBERT: Doch. Sie ist 74.
ELVIRA: Ach Herbert! Ist das deine Frau?
HERBERT: Elvira! Bitte!
ELVIRA: Bist du verheiratet?
HERBERT: Nein, Elvira. Ich bin nicht verheiratet.
ELVIRA: Nein?

b **Jetzt sind Sie selbst Schauspieler. Spielen Sie ähnliche Dialoge.**

1 deine Frau – meine Oma
2 dein Mann – mein Vater
3 dein Mann – mein Opa

■ Wer ist das? Ist das deine Frau?
▲ Nein. Das ist meine Oma.
■ Deine Oma?! ...

AB **4**

Wer ist das?

Spiel & Spaß

a **Lesen Sie den Text in 3a noch einmal und markieren Sie die Verben. Ergänzen Sie dann.**

GRAMMATIK

W-Frage	Wer	_____	das?
Aussage	Das	_____	meine Mutter.
Ja/Nein-Frage		_____	das deine Frau?

b **Wie gut kennen Sie die Personen in *Menschen*? Arbeiten Sie zu viert auf Seite 76.**

AB **5**

Ist das deine Frau?

a **Lesen Sie den Text in 3a noch einmal und ergänzen Sie *nein* und *doch*.**

GRAMMATIK

Ist das deine Frau?	☺ Ja.	☹ nein
Ist das nicht deine Mutter?	☺ Ja	☹ Nein.

b ***ja – nein – doch*** **üben. Arbeiten Sie zu zweit auf Seite 76.**

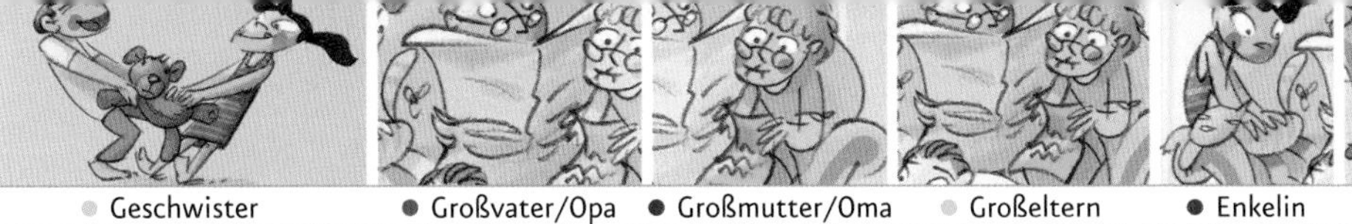

AB **6** **Marks Familie**

▶ 1 20 **a** **Sehen Sie das Bildlexikon an und hören Sie. Ergänzen Sie dann die Familienmitglieder.**

Spiel & Spaß

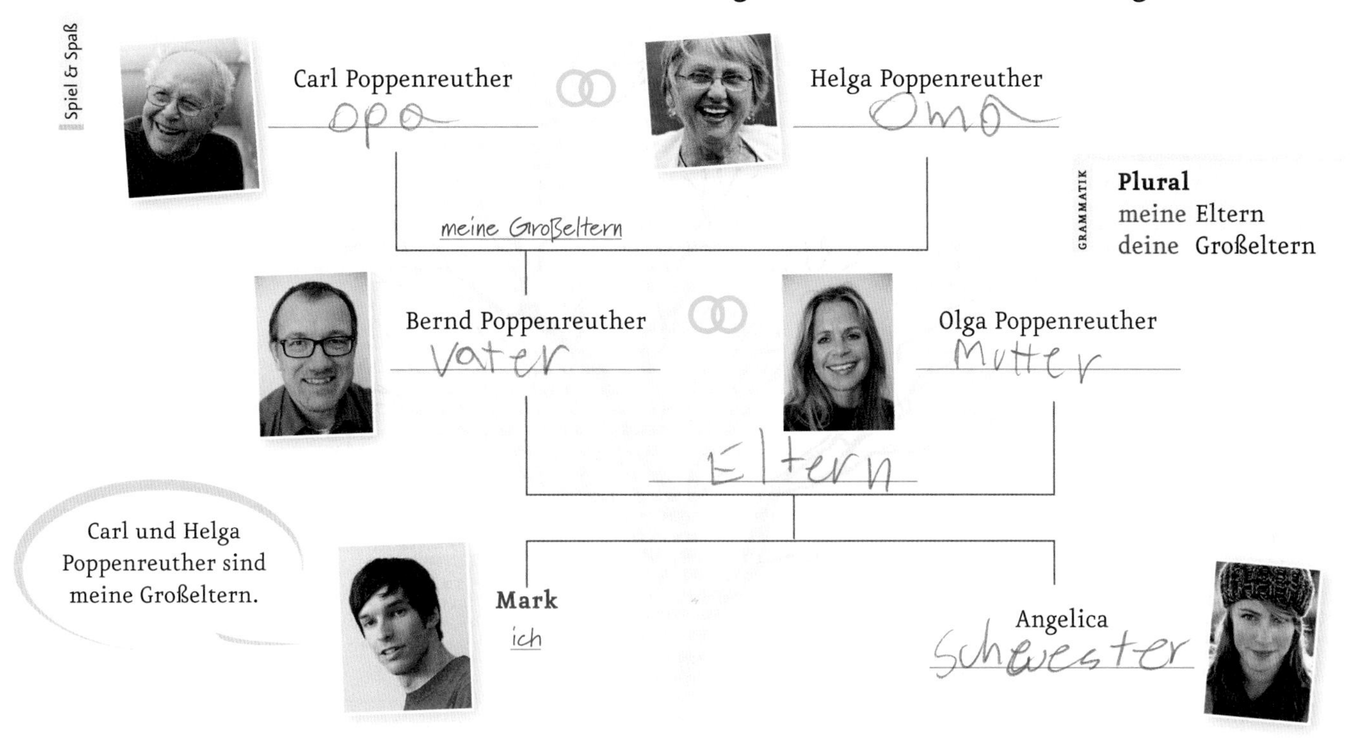

GRAMMATIK
Plural
meine Eltern
deine Großeltern

Diktat

b **Was sagen andere Familienmitglieder? Spielen Sie Helga, Bernd oder Angelica.**

Ich bin Helga. Mein Sohn heißt Bernd. Das ist mein Enkel. Er heißt …

AB **7** **Schreiben Sie vier Namen auf einen Zettel.**
Wer sind die Personen? Die anderen raten.

Ewa, Frank, Tobias, Hilde

Kollege/Kollegin | Freund/Freundin | Partner/Partnerin | …

■ Ist Ewa deine Schwester?
▲ Nein, Ewa ist nicht meine Schwester.

■ Ist sie deine Freundin?
▲ Ja, das ist richtig. Ewa ist meine Freundin.

8 **Familiengeschichten**
Interviewen Sie Ihre Partnerin / Ihren Partner über ein Familienmitglied und machen Sie Notizen.

Beruf

Name | Beruf | Alter | Wohnort | Familienstand | Kinder | …

Bruder
Name: Miguel
Beruf: …

■ Wie heißt dein Bruder?
▲ Er heißt Miguel.
■ Was ist er von Beruf?
▲ Er ist …

MINI-PROJEKT

AB **9** **Ein Land – viele Sprachen**

a Wo in der Schweiz spricht man welche Sprache? Markieren Sie die Gebiete farbig. Die Auflösung finden Sie auf Seite 75.

Basel
Zürich
Bern
Genf

Deutsch | Französisch | Italienisch | Rätoromanisch

b Welche Sprachen sprechen Sie? Hilfe finden Sie auch im Wörterbuch.

interessant?

Spanisch | Englisch | Russisch | Finnisch | Luxemburgisch |

Niederländisch | Polnisch | Schwedisch | Slowakisch | Slowenisch |

Tschechisch | Ungarisch | ...

c Welche Sprachen sprechen wir? Machen Sie eine Kursstatistik.

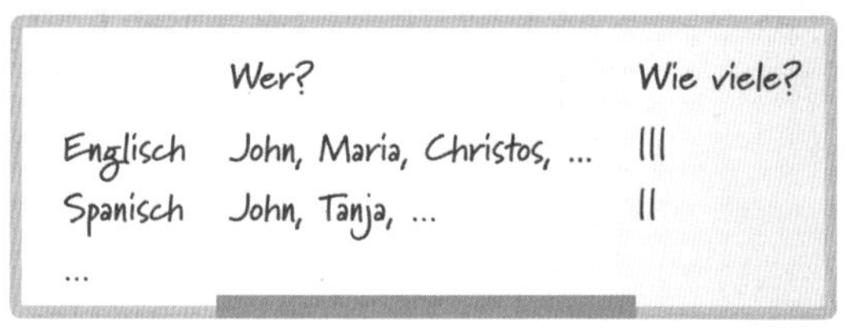

KOMMUNIKATION

Welche Sprachen sprichst du / sprechen Sie?
Ich spreche sehr gut / gut / ein bisschen ...

GRAMMATIK

	sprechen
ich	spreche
du	sprichst
er/sie	spricht

GRAMMATIK

Audiotraining | Karaoke

Possessivartikel mein/dein

	maskulin	**feminin**	**Plural**
ich →	mein Bruder	meine Schwester	meine Eltern
du →	dein Bruder	deine Schwester	deine Eltern

Ja-/Nein-Frage, W-Frage und Aussage

Ja-/Nein-Frage		Ist	das deine Frau?
W-Frage	Wer	ist	das?
Aussage	Das	ist	meine Frau.

ja / nein / doch

Ist das deine Frau?	Ja, (das ist meine Frau). Nein, (das ist nicht meine Frau).
Das ist nicht deine Frau?	Doch, (das ist meine Frau). Nein, (das ist nicht meine Frau).

Verb sprechen: Konjugation mit Vokalwechsel

ich	spreche	wir	sprechen
du	sprichst	ihr	sprecht
er/sie	spricht	sie/Sie	sprechen

KOMMUNIKATION

Familie

Das sind meine Eltern. / Das ist meine Mutter.

Ist Ewa deine Schwester? – Nein, Ewa ist nicht meine Schwester. Ewa ist meine Freundin.

Sprachkenntnisse

Welche Sprachen sprechen Sie / sprichst du? – Ich spreche (sehr gut / gut / ein bisschen) Deutsch und Englisch.

DAS BIN ICH.

Ich heiße Paco Rodriguez. Ich bin 23 Jahre alt und komme aus Mexiko. Ich wohne in München und studiere Biochemie. Ich bin nicht verheiratet und meine Hobbys sind Skaten und Fotografie. Mein Sternzeichen ist Waage.

Das ist mein Bruder Miguel. Er ist 31. Er lebt in den USA, in Kalifornien. Er ist Ingenieur und arbeitet bei SunTex in Palo Alto. Miguel ist verheiratet und hat ein Kind. Miguels Frau heißt Patricia. Sie ist 27 und arbeitet als Krankenschwester. Das Baby ist meine Nichte Eliza.

Ich heiße Nicole Moser. Ich bin 22 Jahre alt und komme aus Österreich. Meine Heimatstadt ist Wien. Zurzeit lebe und studiere ich aber in München. Ich bin nicht verheiratet. Meine Hobbys sind Kochen, Musik machen und Singen. Mein Sternzeichen ist Widder.

Das ist mein Bruder Florian. Er ist 24 und lebt zurzeit in Spanien. Er spricht vier Fremdsprachen perfekt: Englisch, Französisch, Spanisch und Italienisch. Florian studiert Business Management in Barcelona. Er ist bald fertig und geht dann zurück nach Österreich.

1 Lesen Sie die Texte und korrigieren Sie die Sätze.

a Paco kommt aus ~~Spanien~~. — Paco kommt aus Mexiko.
b Paco ist arbeitslos. — Paco ist student
c Miguel ist geschieden. — Miguel ist verheiratet
d Patricia arbeitet als Verkäuferin. — Patrizia ist Krankenschwester
e Nicole kommt aus Graz und studiert in Wien. — studiert in München
f Florian spricht zwei Fremdsprachen. —

2 Und Sie? Wer sind Sie? Schreiben Sie über sich und über ein Familienmitglied.

▶ Clip 1 **1 Guten Tag! Grüß Gott! – Sehen Sie den Film und ordnen Sie zu: Wer sagt was?**

Auf Wiederschauen! | Auf Wiedersehen! | Guten Abend! | Guten Morgen! | Grüß Gott! | Hallo! | Tschüs! | Uf Wiederluege mitenand!

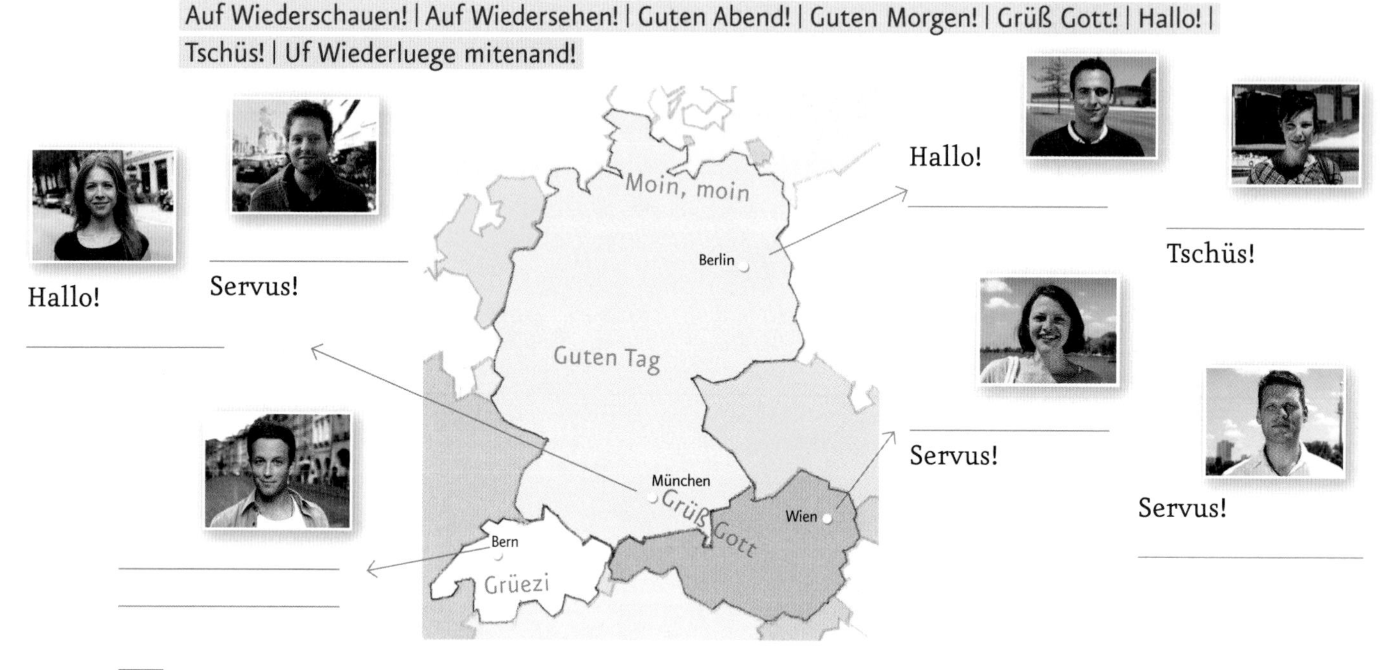

▶ Clip 2 **2 Ich bin Friseurin. – Sehen Sie die Reportage und korrigieren Sie die Steckbriefe.**

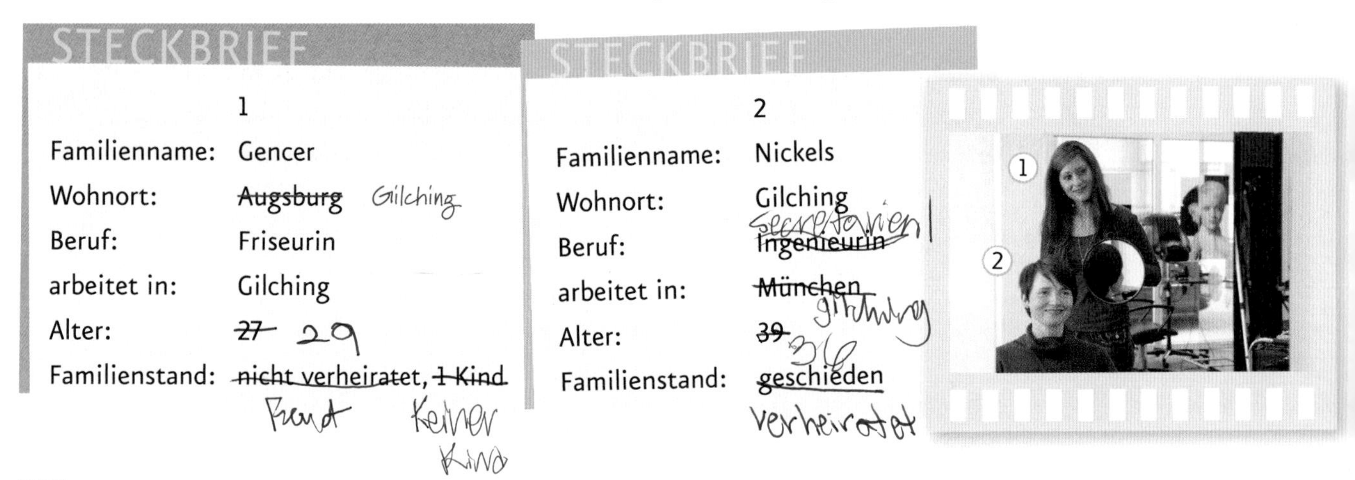

STECKBRIEF

	1
Familienname:	Gencer
Wohnort:	~~Augsburg~~ Gilching
Beruf:	Friseurin
arbeitet in:	Gilching
Alter:	~~27~~ 29
Familienstand:	~~nicht verheiratet, 1 Kind~~ Freund keiner Kind

STECKBRIEF

	2
Familienname:	Nickels
Wohnort:	Gilching
Beruf:	~~Ingenieurin~~ Secretarien
arbeitet in:	~~München~~ Gilching
Alter:	~~39~~ 36
Familienstand:	~~geschieden~~ verheiratet

▶ Clip 3 **3 Das ist meine Familie. – Sehen Sie die Foto-Story und ordnen Sie zu.**

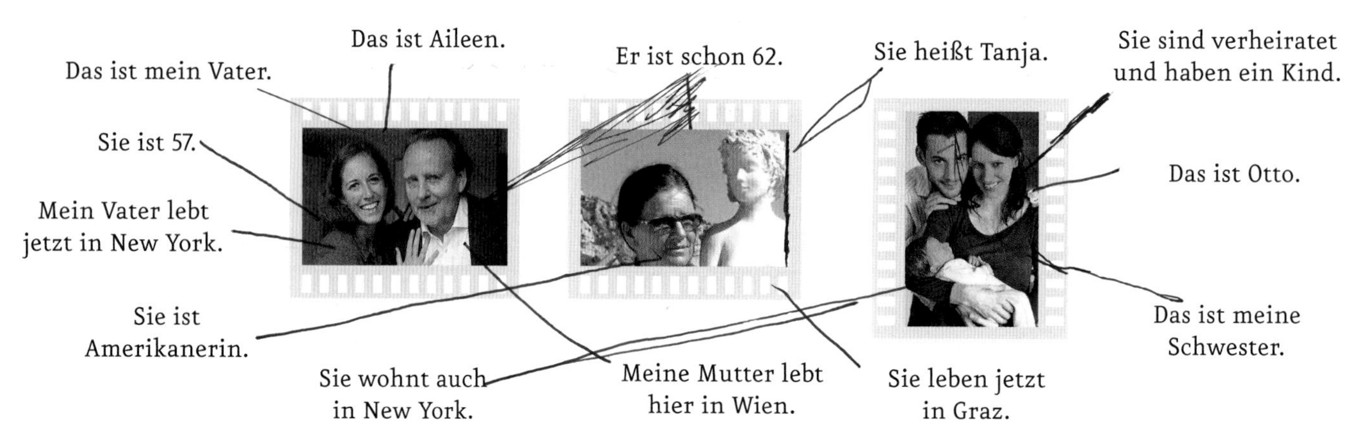

1 Lesen Sie den Text und ergänzen Sie den Stammbaum.

Heidi Klum

Heidi Klum ist die Tochter von Erna und Günther Klum und kommt aus Deutschland. Sie ist am 1.6.1973 in Bergisch Gladbach geboren. Heidi Klums Vater ist Chemiefacharbeiter. Jetzt arbeitet er aber als Manager von Heidi Klum. Er ist verheiratet mit Erna Klum. Erna Klum ist von Beruf Friseurin, aber sie arbeitet nicht mehr.
Heidi Klum ist Model und Moderatorin. In Deutschland moderiert sie die Show *Germany's Next Topmodel*. Bis 2012 ist Heidi Klum mit Seal zusammen. Seal ist von Beruf Sänger und kommt aus London. Heidi Klum hat vier Kinder. Sie heißen Leni, Henry, Johan und Lou. Sie wohnen zurzeit in den USA.

Mutter: Erna
Beruf: ____________

Vater: ____________
Beruf: Chemiefacharbeiter
arbeitet als: ____________

Heidi Klum
(Heidi Samuel)
Beruf: ____________
Herkunft: ____________

Seal
(Seal Samuel)
Beruf: ____________
Herkunft: ____________

Wohnort: ____________

Kinder:
Leni ____________ ____________ ____________

2 Prominente aus den deutschsprachigen Ländern

a Wählen Sie eine bekannte Person und suchen Sie Informationen zu Familie und Beruf im Internet. Machen Sie ein Poster mit einem Stammbaum wie in **1**.

b Präsentieren Sie Ihre Ergebnisse im Kurs.

Meine Person heißt Heidi Klum.
Sie kommt aus ...

KOMMUNIKATION
Meine Person heißt ...
Sie/Er kommt aus ... und ist ...
Die Eltern heißen ...
Der Vater /Die Mutter arbeitet als ...
... ist verheiratet/geschieden/...
... und ... haben ... Kinder.
Sie wohnen in ...

▶ 1 21 **1** **Hören Sie das Lied und suchen Sie die Städte auf der Karte.**

2 Winfried wohnt in ...

a **Erinnern Sie sich an die Menschen in den ersten drei Lektionen? Wer ist wer? Ergänzen Sie die Namen.**

A Sven Henkenjohann ______ wohnt in Berlin und arbeitet als IT-Spezialist bei Galaxsyst.
B ______ kommt aus Mexiko und wohnt in München.
C ______ ist 21 und studiert in Stuttgart.
D ______ ist Architekt und wohnt in Bonn.
E ______ ist Journalistin. Sie kommt aus der Schweiz und lebt in Köln.
F ______ ist verheiratet. Sie arbeitet als Schauspielerin und lebt in Freiburg.

b **Wo wohnt Winfried? Suchen Sie die passenden Buchstaben in 2a.**

1 = A, Nachname: Buchstabe 1
2 = B, Vorname: Buchstabe 2
3 = C, Vorname: Buchstabe 1
4 = D, Nachname: Buchstabe 1
5 = E, Nachname: Buchstabe 12
6 = F, Nachname: Buchstabe 7
7 = F, Vorname: Buchstabe 3

Wie heißt die Stadt? Lösung:

H _ _ _ _ _ _
1 2 3 4 5 6 7

3 Ergänzen Sie die Ländernamen auf der Karte.

Belgien | Dänemark | ~~Deutschland~~ | Frankreich | Italien | Liechtenstein | Luxemburg | Niederlande | Österreich | Polen | Schweiz | Slowakei | Slowenien | Tschechien | Ungarn

Der Tisch ist schön! 4

Hören: Beratungsgespräche / Hilfe anbieten

Sprechen: nach Preisen fragen und Preise nennen: *Wie viel kostet denn der Tisch?*; etwas bewerten: *Das finde ich schön.*

Wortfelder: Zahlen: 100 – 1.000.000, Möbel, Adjektive

Grammatik: definiter Artikel *der/das/die*; Personalpronomen *er/es/sie*

1 Wie heißen die Möbel auf Deutsch?
Zeigen Sie auf dem Foto und nennen Sie die Wörter.
Hilfe finden Sie im Bildlexikon auf Seite 26 und 27.

▶ 1 22 **2 Wer sagt was? Hören Sie und ordnen Sie zu.**

Sibylle sagt,	der Tisch ist	zu groß.
Artur sagt,	das Bett ist	schön.
		modern.
		nicht schlecht.
		praktisch.

INFO
schlecht ≠ gut
groß ≠ klein

▶ 1 23 AB

3 Das ist aber teuer!

a Was passt? Hören Sie das Gespräch weiter und ordnen Sie zu.

A 

B 

C 

D 

1 Der Tisch kostet A. Das ist __!

2 Die Lampe kostet __. Das ist __!

b Wer sagt was? Hören Sie noch einmal und kreuzen Sie an.

			Verkäufer	Sibylle
a	__	Ja, bitte. Wie viel kostet denn der Tisch?	○	⊗
b	1	Brauchen Sie Hilfe?	○	○
c	__	Der Tisch kostet 1478 Euro.	○	○
d	__	Ja. Das ist zu teuer!	○	○
e	__	Das ist aber sehr teuer!	○	○
f	__	Finden Sie?	○	○
g	__	Sie kommt aus Italien. Der Designer heißt Enzo Carotti.	○	○
h	__	Was kostet die Lampe?	○	○
i	__	Die Lampe kostet nur 119 Euro. Das ist sehr günstig. Ein Sonderangebot.	○	○
j	__	Die Lampe ist wirklich sehr schön und nicht teuer!	○	○

noch einmal?

c Ordnen Sie die Sätze in b.

AB

4 *der, das oder die?*

a Ordnen Sie die Wörter aus dem Bildlexikon zu.

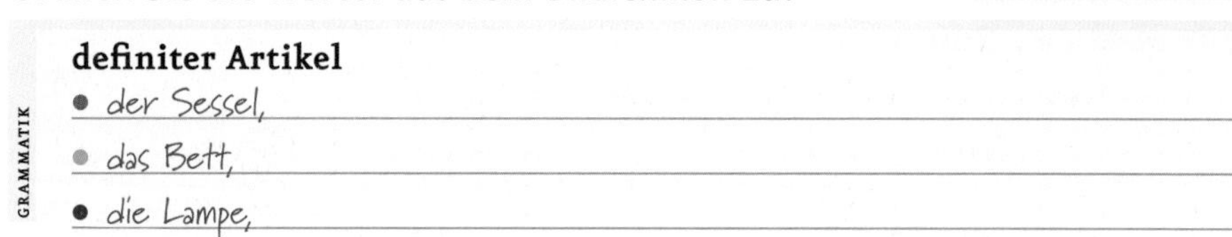
GRAMMATIK

definiter Artikel
- der Sessel,
- das Bett,
- die Lampe,

▶ 1 24

b Artikeltanz: Hören Sie die Nomen und tanzen Sie.

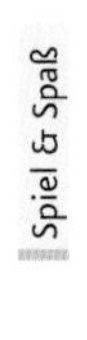

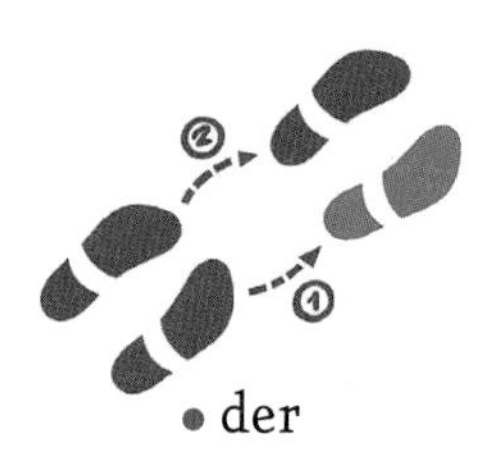

der

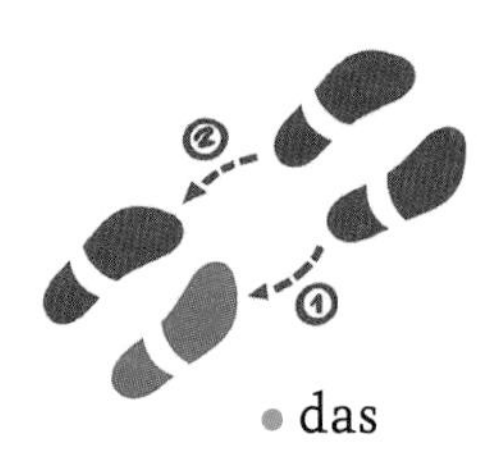

das

die

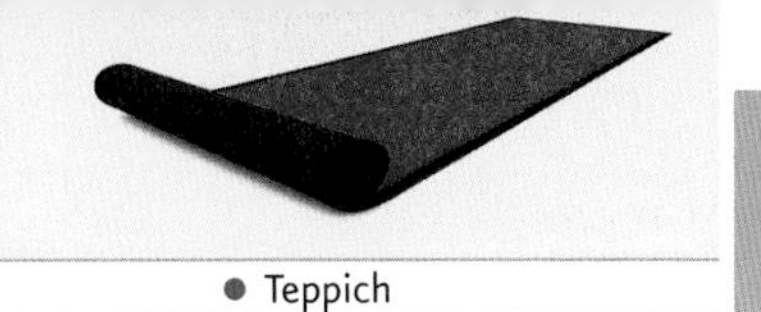

● Sofa / ● Couch | ● Tisch | ● Schrank | ● Teppich

▶ 1 25 AB

5 Ergänzen Sie die Zahlenschlange. Hören Sie dann und vergleichen Sie.

Spiel & Spaß

100 (ein)hundert – 200 ______ – 300 ______ – 351 dreihunderteinundfünfzig – 651 ______ – 1000 (ein)tausend – 10 000 zehntausend – 100 000 ______ – 897 000 achthundertsiebenundneunzigtausend – 898 000 ______ – 1 000 000 eine Million

AB

6 Wie viel kostet das?

▶ 1 26-28

a Hören Sie und notieren Sie die Preise.

① ______ €

② ______ €

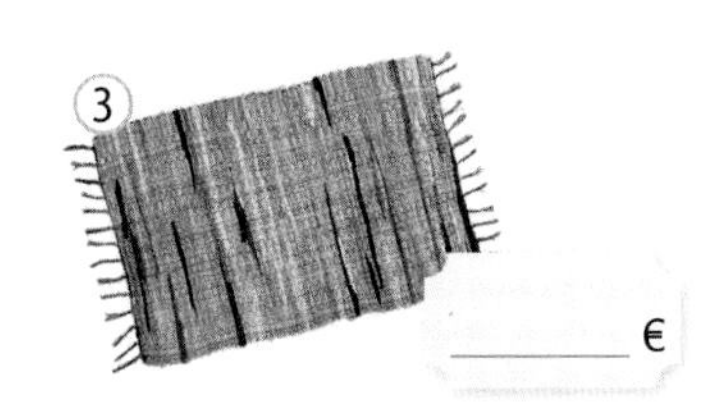
③ ______ €

Diktat

b Gespräche üben: Nach Preisen fragen und Preise nennen. Arbeiten Sie zu zweit auf Seite 79.

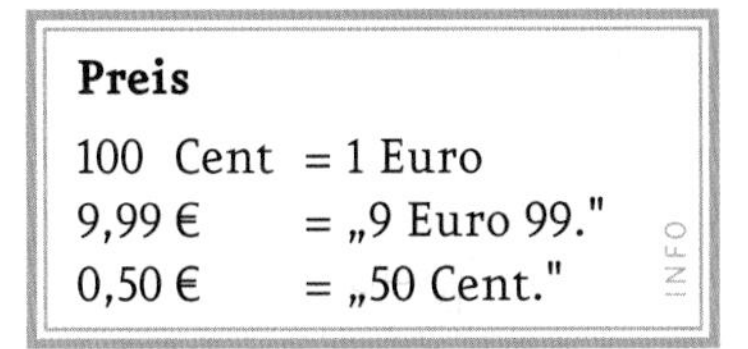

Preis

100 Cent = 1 Euro
9,99 € = „9 Euro 99."
0,50 € = „50 Cent."

INFO

AB

7 Was kostet die Lampe?

a Was sagt der Verkäufer aus **3b**? Kreuzen Sie an. Ergänzen Sie dann die Tabelle.

Die Lampe kostet 119 Euro. → ○ Er / ○ Es / ⊗ Sie kommt aus Italien.

GRAMMATIK

● Tisch → er
● Bett → es
● Lampe → Sie

b Puzzle: Was kostet der Schrank? Arbeiten Sie zu zweit auf Seite 79.

8 Fridolins Möbel

a Sehen Sie die Bilder an. Was ist das Problem? Kreuzen Sie an.

Film

b Wie finden Sie die Aufgabe? ○ zu leicht ○ okay ○ zu schwer

AB

9 Gespräche üben: etwas bewerten. Arbeiten Sie zu zweit auf Seite 80.

▶ 1 29 AB

10 Ergänzen Sie *bitte* oder *danke*. Hören Sie dann und vergleichen Sie.

A Brauchen Sie Hilfe? – Ja, bitte.

B Kaffee? – Nein, danke.

C Das macht dann 9 Euro 95, bitte.

D Wie bitte?

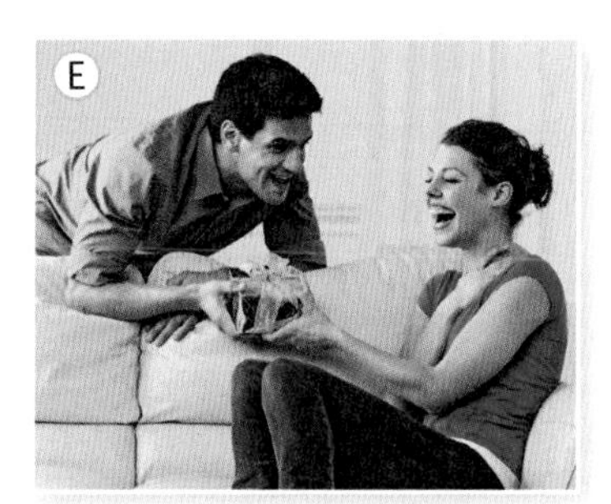

E Vielen Dank! – bitte.

11 Wie übersetzen Sie *bitte* und *danke*?

Übersetzen Sie die Gespräche in **10** in Ihre Muttersprache.

Audiotraining | Karaoke

GRAMMATIK

definiter Artikel der/das/die		
Nominativ Singular	**definiter Artikel**	
• maskulin	Der Tisch	
• neutral	Das Bett	ist schön.
• feminin	Die Lampe	

Personalpronomen er/es/sie		
• maskulin	der Tisch:	Er kostet …
• neutral	das Bett:	Es kostet …
• feminin	die Lampe:	Sie kostet …

KOMMUNIKATION

Beratungsgespräche	
Brauchen Sie Hilfe?	Ja, bitte.
Wie viel / Was kostet (denn) die Lampe?	Die Lampe kostet (nur) 119 Euro. Das ist ein Sonderangebot.

etwas bewerten
Das ist (sehr/zu/aber) teuer/günstig/billig. Der Tisch ist zu groß / zu klein. Ich finde die Lampe (wirklich) sehr schön. Das finde ich auch. / Das finde ich nicht. Finden Sie? / Findest du?

Was ist das? – Das ist ein F. 5

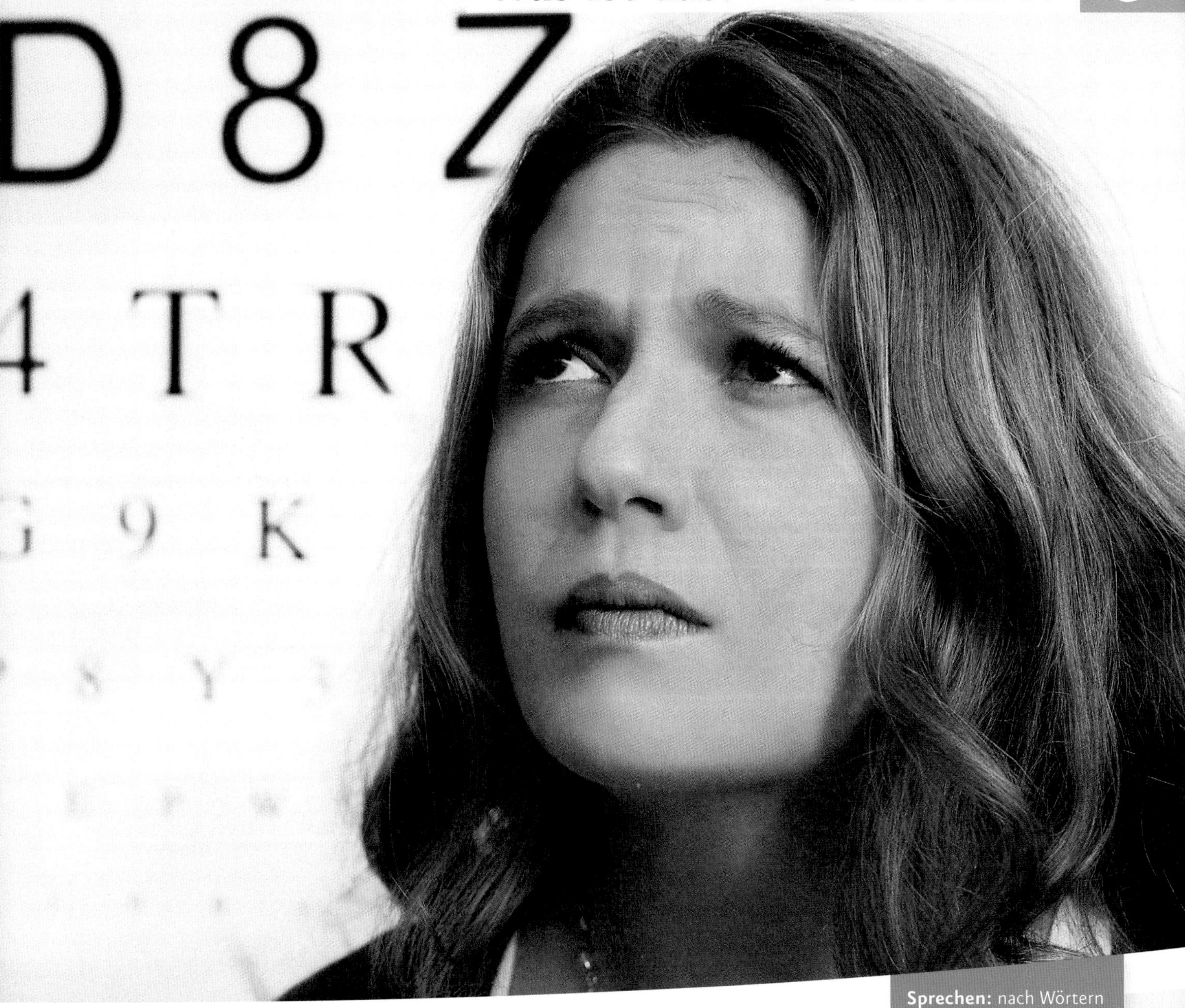

1 Frau Paulig beim Augenarzt

▶1 30 **a Was ist das? Sehen Sie das Foto an, hören Sie und kreuzen Sie an.**

◯ Das ist ein P. ◯ Das ist ein F. ◯ Das ist ein T.

b Was sehen *Sie* hier? Markieren Sie und sprechen Sie.

F Ⓟ R	3 6 8	F T Y	3 5 8	V U O	H W R

■ Ich glaube, das ist ein P.
▲ Ja, das glaube ich auch.
● Nein. Das ist ein F.

Sprechen: nach Wörtern fragen und Wörter nennen: *Wie heißt das auf Deutsch?*; um Wiederholung bitten: *Noch einmal, bitte.*; etwas beschreiben: *Die Brille ist rot.*; sich bedanken: *Danke. – Bitte.*

Lesen: Produktinformationen

Schreiben: ein Formular ausfüllen

Wortfelder: Farben, Dinge, Materialien, Formen

Grammatik: indefiniter Artikel *ein/ein/eine*; Negativartikel *kein/kein/keine*

● Bleistift ● Brille ● Buch ● Flasche ● Feuerzeug

AB **2** **Was ist das?**

a Lesen Sie den Comic und ergänzen Sie die Tabelle.

GRAMMATIK

	Das ist ...	
● der	ein	kein
● das	ein	______
● die	______	keine

Spiel & Spaß

b Wie übersetzen Sie *ein/eine – kein/keine*? Übersetzen Sie den Comic in Ihre Muttersprache.

c Spielen Sie wie im Comic: Was ist das? Zeichnen Sie Gegenstände aus dem Bildlexikon oder Möbel (Lektion 4) an die Tafel. Die anderen raten.

AB **3** **Was gehört zusammen?**

a Ordnen Sie die Produktinformationen den Brillen zu.

interessant?

b Lesen Sie den Text in **a** noch einmal und ergänzen Sie.

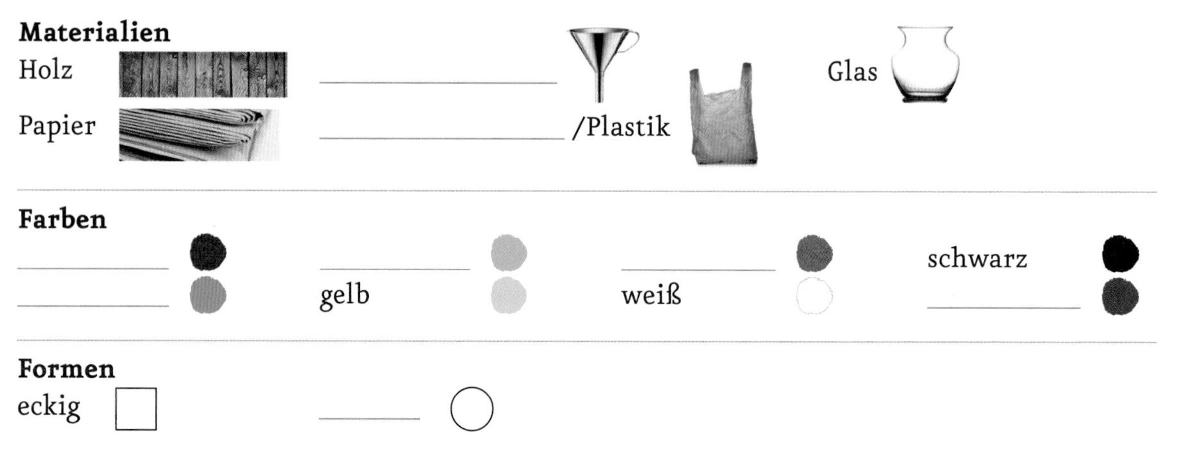

Materialien

Holz ______ Glas

Papier ______ /Plastik

Farben

______ ______ ______ schwarz

______ gelb weiß ______

Formen

eckig ______

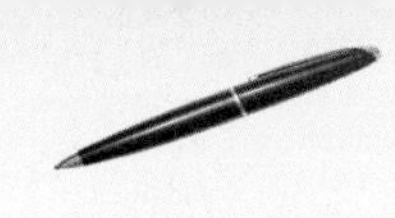

• Fotoapparat • Kette • Kugelschreiber • Schlüssel • Tasche

4 Eine Designerbrille für Frau Paulig

a Zeichnen Sie eine Brille in das Foto.

Diktat

b Schreiben Sie eine Produktinformation zu „Ihrer" Brille. Mischen Sie die Texte und suchen Sie die passende Brille im Kurs.

Die Brille ist rot und eckig ...

AB Film

5 Gespräche üben: Produkte beschreiben.

Arbeiten Sie auf Seite 84.

▶ 1 31-35

6 Wie heißt das auf Deutsch?

AB

a Hören Sie und ordnen Sie die Gespräche den Fotos zu.

(1)  ○  ○  ○  ○ 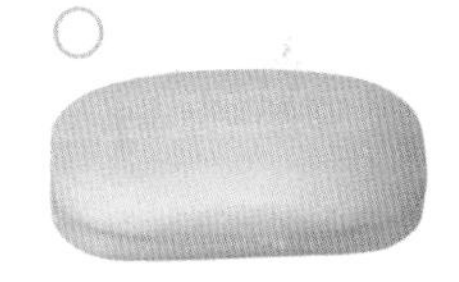

b Ergänzen Sie das Wort, markieren Sie den richtigen Artikel und das richtige Pronomen und ordnen Sie die Farben zu.

1 Das ist ein / eine *Uhr*. Er / Es / Sie ist — blau.
2 Das ist ein / eine ______. Er / Es / Sie ist — rot.
3 Das ist ein / eine ______. Er / Es / Sie ist — gelb.
4 Das ist ein / eine ______. Er / Es / Sie ist — grün.
5 Das ist ein / eine ______. Er / Es / Sie ist — braun.

c Wer sagt was? Ordnen Sie zu.

~~Entschuldigung, wie heißt das auf Deutsch?~~ | Wie schreibt man ...? | Kein Problem. | Das ist eine ... | Noch einmal, bitte. | Das ist eine Uhr.

man = jeder/alle (INFO)

■ (1) *Entschuldigung, wie heißt das auf Deutsch?*
▲ (2) ______ Uhr.
■ Wie bitte? (3) ______
▲ (4) ______
■ (5) ______ Uhr?
▲ U – H – R.
■ Danke.
▲ Bitte schön. (6) ______

Spiel & Spaß

d Gespräche üben: nach Wörtern fragen. Arbeiten Sie zu zweit auf Seite 85.

5

SCHREIBTRAINING

7 Im Internet bestellen

a Sehen Sie die Produkte und die Bestellung an. Welche Informationen fehlen? Ergänzen Sie.

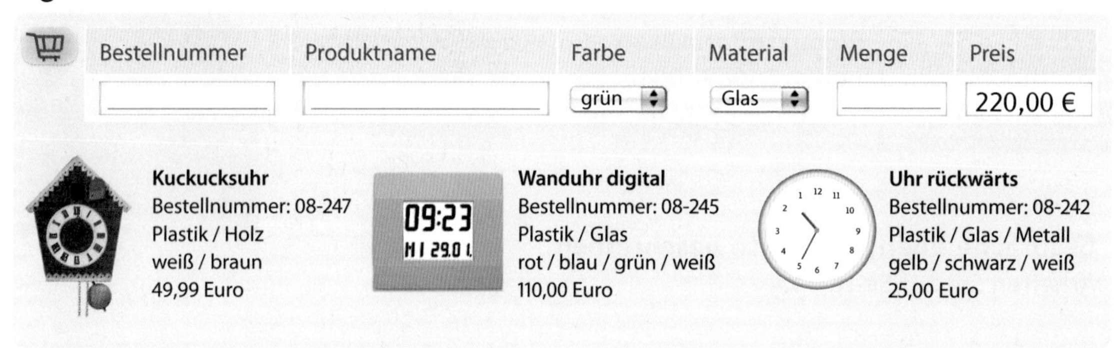

b Welche Uhr möchten *Sie* bestellen?
Ergänzen Sie die Bestellung und Ihre persönlichen Angaben.

Bestellnummer	Produktname	Farbe	Material	Menge	Preis

Persönliche Angaben		Meine Adresse	
Anrede:	☐ Frau ☐ Herr	Straße / Hausnummer:	
Vorname:		PLZ / Ort:	
Name:		Land:	
E-Mail:		Telefon:	
Geburtsdatum:	/ /	Fax:	

Audiotraining

Karaoke

GRAMMATIK

indefiniter Artikel ein/eine und Negativartikel kein/keine		
	indefiniter Artikel	**Negativartikel**
	Das ist ...	
• maskulin	ein Schlüssel	kein Schlüssel
• neutral	ein Buch	kein Buch
• feminin	eine Brille	keine Brille

KOMMUNIKATION

nach Wörtern fragen / Wörter nennen

Entschuldigung, wie heißt das auf Deutsch?
Wie schreibt man ...?
Das ist ein/eine ...

um Wiederholung bitten

Noch einmal, bitte.
Wie bitte?

sich bedanken und darauf reagieren

Danke. – Bitte schön. / Bitte. (Gern.) / Kein Problem.

einen Gegenstand beschreiben

Die Brille ist aus Kunststoff/...
Die Brille ist rund/eckig/..., rot/braun/... und modern/...

Ich brauche kein Büro. 6

Hören: Telefongespräche

Sprechen: Telefonstrategien: *Hier ist ...; Auf Wiederhören.*

Lesen: E-Mail und SMS

Wortfelder: Büro; Computer

Grammatik: Singular – Plural: *ein Handy – drei Handys*; Akkusativ: *Ich habe einen Laptop.*

1 Arbeiten am See

▶ 1 36 **a Sehen Sie das Foto an und hören Sie. Wie finden Sie diesen Arbeitsplatz?**

☺	☺	☹
sehr schön / sehr praktisch	schön, aber nicht praktisch	nicht praktisch / nicht schön

■ Der Arbeitsplatz ist sehr schön.
▲ Ich weiß nicht. Der Arbeitsplatz ist schön, aber ...

b Möchten Sie so arbeiten?

▶1 37 **2** **Lesen Sie die E-Mail, sehen Sie die Fotos an und hören Sie. Ergänzen Sie.**

~~Christian Schmidt~~ | Hierholtzer | Brenner | PR-Media | Leitgeb | Frau Hintze | C. Lehmann

a Der Mann auf den Fotos heißt *Christian Schmidt*.

b Um 14:00 Uhr ist ein Termin mit ________________.

c Christian Schmidt und C. Lehmann arbeiten bei ______________________________.

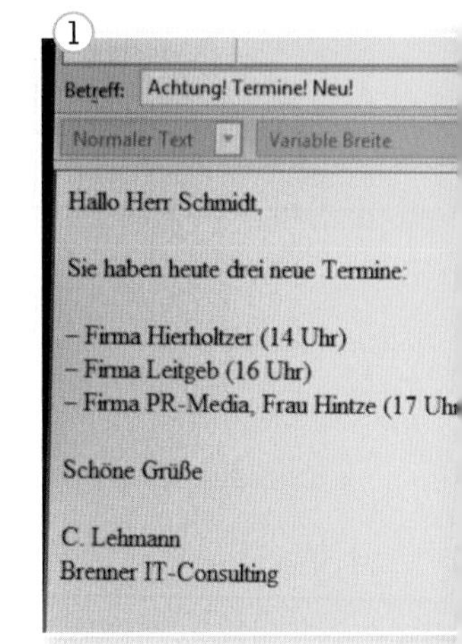
1

Betreff: Achtung! Termine! Neu!

Normaler Text | Variable Breite

Hallo Herr Schmidt,

Sie haben heute drei neue Termine:

– Firma Hierholtzer (14 Uhr)
– Firma Leitgeb (16 Uhr)
– Firma PR-Media, Frau Hintze (17 Uhr)

Schöne Grüße

C. Lehmann
Brenner IT-Consulting

▶1 38 **3** **Sehen Sie die Fotos 2–4 an und hören Sie. Kreuzen Sie an.**

a Frau Feser und Herr Brenner sind ◯ im Büro. ◯ am See.
b Sie wollen ◯ Christian Schmidt ◯ Frau Esebeck sprechen.
c Christian Schmidt hat ◯ keine Zeit ◯ Zeit für Eva.
d Der Arbeitsplatz am See ist ◯ praktisch. ◯ nicht praktisch.

2

▶1 38 **4** **Wer ist wer? Wer macht was?**
Hören Sie noch einmal und ordnen Sie zu.

noch einmal?

CHRISTIAN SCHMIDT = C, FRAU FESER = F, EVA = E, HERR BRENNER = B

a *E* ist die Freundin von Christian Schmidt.
b ___ ist eine Kollegin von Christian Schmidt.
c ___ ist der Chef von Christian Schmidt.
d ___ schreibt eine SMS.
e ___ sucht Rechnungen und Formulare.
f ___ braucht Stifte.
g ___ hat am See nur Stress und geht wieder ins Büro.

3

5 **Was sucht Herr Brenner?**
Lesen Sie die SMS und ergänzen Sie die Tabelle.

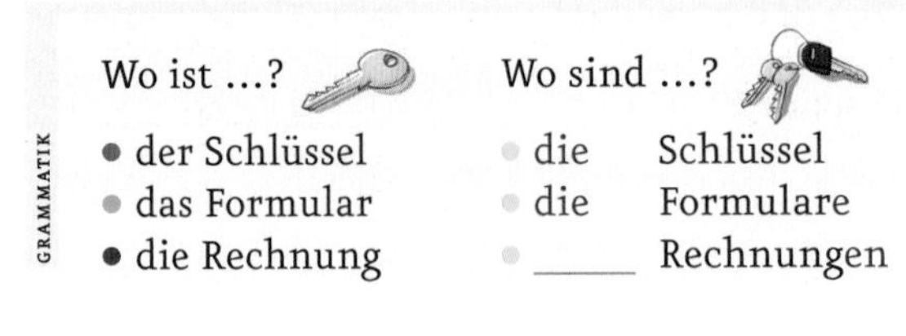
GRAMMATIK

Wo ist …?	Wo sind …?
● der Schlüssel	● die Schlüssel
● das Formular	● die Formulare
● die Rechnung	● _____ Rechnungen

4

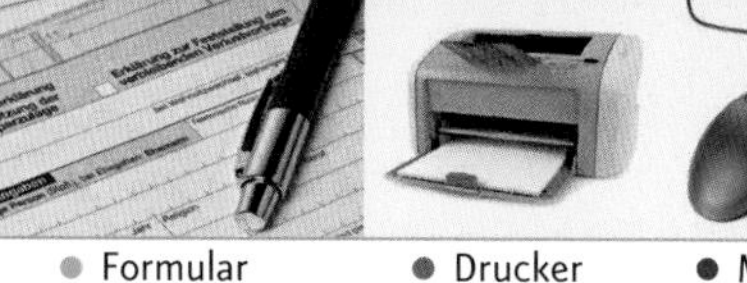

● Formular ● Drucker ● Maus ● Computer ● Stift ● Notizbuch ● Kalender ● Bildschirm

AB 6 Wie heißt der Plural?

a Wählen Sie zwei Wörter aus dem Bildlexikon. Suchen Sie die Pluralform im Wörterbuch.

Beruf

b Sammeln Sie „Ihre" Wörter im Plural an der Tafel.

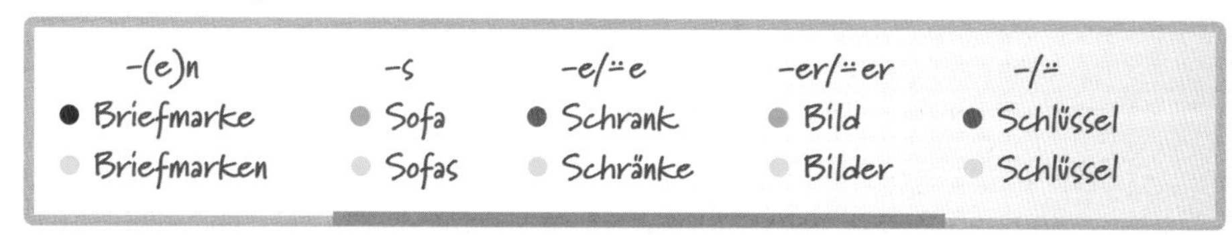

Spiel & Spaß

c *der Stuhl – die Stühle:* Finden Sie die Unterschiede. Arbeiten Sie zu zweit auf Seite 83.

AB 7 Wo ist denn ...?

▶1 39 **a** Hören Sie das Gespräch mit Frau Feser noch einmal und ergänzen Sie.

1 Wo ist denn ______ Schlüssel?
2 Sie haben ______ Schlüssel doch auch.

Nominativ	Akkusativ
Da ist ...	Ich habe ...
● der Schlüssel	● **den** Schlüssel
● das Papier	● das Papier
● die Rechnung	● die Rechnung
Da sind ...	Ich habe ...
● die Stifte	● die Stifte
	auch so bei: brauchen, suchen, ...

GRAMMATIK

Beruf

b Was suchen Sie? Spielen Sie ähnliche Dialoge.

der Drucker | das Papier | der Kalender | die Rechnung | ...

■ Wo ist denn der Laptop?
▲ Der Laptop? Frau Esebeck hat doch den Laptop.

AB 8 Ich habe einen Laptop und zwei Handys.

a Wie viele ... haben Sie? Ergänzen Sie die Endungen und füllen Sie dann den Fragebogen aus.

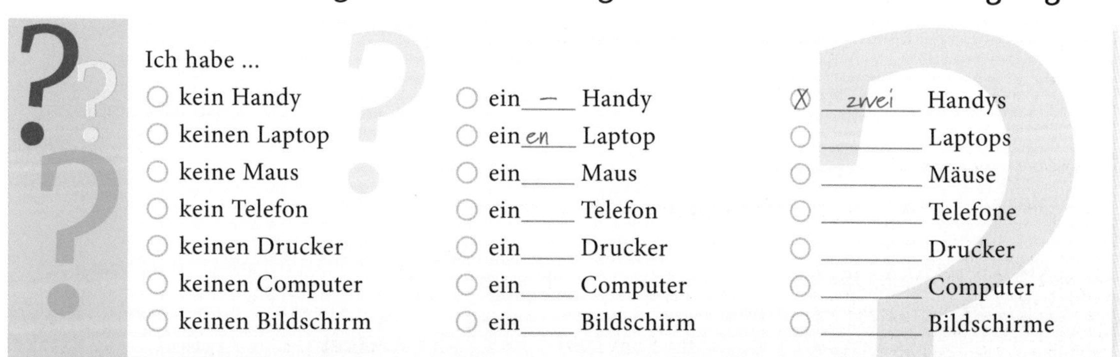

Ich habe ...

○ kein Handy	○ ein _–_ Handy	⊗ _zwei_ Handys
○ keinen Laptop	○ ein _en_ Laptop	○ ______ Laptops
○ keine Maus	○ ein____ Maus	○ ______ Mäuse
○ kein Telefon	○ ein____ Telefon	○ ______ Telefone
○ keinen Drucker	○ ein____ Drucker	○ ______ Drucker
○ keinen Computer	○ ein____ Computer	○ ______ Computer
○ keinen Bildschirm	○ ein____ Bildschirm	○ ______ Bildschirme

b Wie viele ... hat Ihre Partnerin / Ihr Partner? Sprechen Sie.

■ Wie viele Drucker hast du?
▲ Ich habe einen Drucker. Und du?
■ Ich habe keinen Drucker. Ich drucke im Büro.

Akkusativ

Ich habe ...

● ein**en**	kein**en**	Laptop
● ein	kein	Telefon
● eine	keine	Maus
● –	keine	Laptops

auch so bei: brauchen, suchen, ...

GRAMMATIK

9 Am Telefon

a Ein Anruf bei Christian Schmidt. Ordnen Sie zu.

~~Brenner IT-Consulting. Guten Tag. Hier ist Christian Schmidt.~~ | Tschüs. | Brenner IT-Consulting. | Schmidt. | Christian Schmidt. | Guten Tag, hier ist Marlene Neumann. | ~~Marlene Neumann hier. GutenTag, Herr Schmidt.~~ | Hallo, hier ist Marlene. | ~~Auf Wiedersehen.~~ | Auf Wiederhören.

sich melden (Person A)	sich melden (Person B) 	sich verabschieden 
Brenner IT-Consulting. Guten Tag. Hier ist Christian Schmidt.	Marlene Neumann hier. GutenTag, Herr Schmidt.	Auf Wiedersehen.

Diktat

b Werfen Sie einer Person den Ball zu. Sie/Er meldet sich (Person A). Dann melden Sie sich (Person B).

A: Energie AG, Vasiri.
B: Guten Tag, hier ist Ines Anton.

A: Lisa Koch.
B: Hallo, Craig hier.

c Wie meldet man sich in anderen Ländern am Telefon? Erzählen Sie.

■ In England sagt man keinen Namen, nur die Telefonnummer oder „Hello“.
▲ In ... sagt man den Namen und ...

Audiotraining

Karaoke

GRAMMATIK

Artikel im Singular und Plural

Singular	Plural
• der/ein/kein Schlüssel	die/–/keine Schlüssel
• das/ein/kein Formular	die/–/keine Formulare
• die/eine/keine Briefmarke	die/–/keine Briefmarken

Nomen: Singular und Plural

	Singular	Plural
-e/¨e	der Stift der Schrank	die Stifte die Schränke
-(e)n	die Briefmarke die Rechnung	die Briefmarken die Rechnungen
-s	das Sofa	die Sofas
-er/¨er	das Bild das Notizbuch	die Bilder die Notizbücher
-/¨	der Kalender	die Kalender

KOMMUNIKATION

Telefongespräche

Brenner IT-Consulting. Guten Tag. Hier ist ...
Christian Schmidt. / Schmidt.
Guten Tag. / Hallo. Hier ist ...
... hier.

Tschüs. / Auf Wiederhören. / Auf Wiedersehen.

Akkusativ nach haben, brauchen, suchen, ...

	definiter Artikel	indefiniter Artikel	Negativartikel	
• maskulin	Sie hat **den**	ein**en**	kein**en**	Schlüssel.
• neutral	das	ein	kein	Formular.
• feminin	die	eine	keine	Briefmarke.
Plural	die	–	keine	Stifte.

UND DAS IST ... heute: ... MEINE UHR

A
Mein Name ist Sylvia di Leonardo, ich bin 25 und arbeite als Sekretärin. Meine Uhr? Ich habe viele Uhren, sieben oder acht Stück. Die hier ist modern. Sie ist groß, aber nicht zu groß. Und auch die Farbe ist doch sehr hübsch, oder?

B
Hallo, ich heiße Claudio Danzer. Ich bin 31 und arbeite als Autor. Ich wohne hier in Meilling. Was? Meine Uhr? Nein, nein, ich habe keine Uhr. Oder doch. Da, sehen Sie? Das ist meine Uhr! Ist sie nicht sehr groß und praktisch?

C
Ich bin Kim. Meine Eltern kommen aus Südkorea, aber wir leben hier in Deutschland. Ich bin 20 und mache eine Ausbildung. Das ist meine Uhr. Sie ist nur schwarz und weiß. Das finde ich super. Ist sie nicht richtig cool?

D
Hallo, ich heiße Theresa. Ich bin 22 und studiere Psychologie. Meine Uhr ist schon sehr alt. Aber sie ist schön, finde ich. Na ja, okay, es ist eine Männeruhr. Aber ich finde sie toll. Sie ist so einfach und so praktisch!

1 Sehen Sie die Fotos an und lesen Sie die Texte. Ordnen Sie zu.

Foto	1	2	3	4
Text	___	___	___	___

2 Was wissen Sie über die Personen? Ergänzen Sie Alter und Beruf.

a Sylvia di Leonardo ist 25 Jahre alt und arbeitet als Sekretärin.
b Kim ______________________
c Theresa ______________________
d Claudio Danzer ______________________

▶ Clip 4 **1 Beim Trödler – Was ist richtig? Sehen Sie den Film und kreuzen Sie an.**

a Das Bild ist ◯ 35 x 43 ◯ 53 x 45 ◯ 53 x 43 cm groß.

b Das Bild kostet ◯ 20 Euro. ◯ 15 Euro. ◯ 10 Euro.

c Anne findet das Bild ◯ okay. ◯ zu klein. ◯ zu teuer.

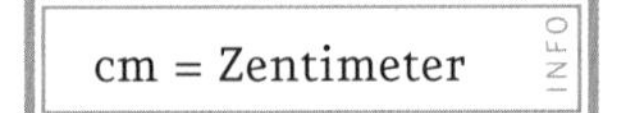

▶ Clip 5 **2 König-Ludwig-Souvenirs: Das ist kein König.**
Das ist ein/eine ... – Was ist das? Markieren Sie die Souvenirs.

• Bleistift • Bierglas • Teller • Ring
• Tasse • Kette • Regenschirm • T-Shirt
• Tasche • Feuerzeug • Buch • Schlüsselanhänger
• Handtuch • Kugelschreiber • Postkarte
• König • Uhr • Puppe

▶ Clip 6 **3 Mein Drucker braucht Papier. – Sehen Sie den Musikclip und ergänzen Sie die Verben in der passenden Form.**

brauchen | haben | sein | suchen

■ *Haben* Sie ein Problem?
▲ Der Drucker ______________ kein Papier.
■ Ich ______________ eine Rechnung.
▲ Und mein Drucker ______________ Papier.
■ ______________ Sie ein Problem?
▲ Ich ______________ das Papier.
■ Ich ______________ eine Rechnung.
▲ Aber ich ______________ kein Papier.
Ah, hier ______________ das Papier.
■ ▲ Oh! Das ______________ schön.
Wir ______________ kein Problem.

1 Lesen Sie den Veranstaltungshinweis und korrigieren Sie die Sätze.

Der Nachtflohmarkt Leipzig

Deutschlands schönster Trödelmarkt bei Nacht

In Leipzig ist der Nachtflohmarkt schon Tradition und ist die Nummer eins in Sachsen. Sie stöbern und handeln gern? Dann sind Sie hier richtig. Von 16.00 Uhr bis 24.00 Uhr kommen 200 Händler und zwischen 2000 und 3000 Besucher zu dem Trödel-Event. Hier finden Sie alles aus Omas Zeiten: Bücher, Taschen, Uhren, Möbel, Kleidung und vieles mehr.

Informationen für Verkäufer: KEINE NEUWARE! Der Aufbau ist ab 13 Uhr.
Standpreise: 7, – Euro pro Meter (Tische bitte selbst mitbringen!)

Wo? An den Tierkliniken 42, 04103 Leipzig, Leipzig Zentrum-Südost

Wann? Sa. 21.05.
Geöffnet für Besucher: 16 bis 24 Uhr
Eintritt: 2,– Euro, Kinder bis 12 Jahre frei

a Der Nachtflohmarkt ist in ~~Dresden~~. Leipzig
b Die Waren auf dem Flohmarkt sind neu. ____________
c Der Eintritt kostet 7, – Euro. ____________

2 Klassenflohmarkt

a Wählen Sie einen Gegenstand und schreiben Sie eine Produktbeschreibung wie im Beispiel. Bringen Sie den Gegenstand und die Beschreibung mit in den Kurs.

SUPER KUGELSCHREIBER!
Sehr praktisch und leicht.
Er schreibt blau und macht keine Fehler.
Er kostet nur 5 Euro!

b Machen Sie einen Flohmarkt im Kurs.

■ Hier habe ich einen Kugelschreiber. Er ist sehr praktisch und leicht und er kostet nur 5 Euro.
▲ Das ist zu teuer.
■ Das ist nicht teuer. Das ist ein Sonderangebot. Der Kugelschreiber macht keine Fehler.
▲ Dann sage ich 3 Euro.
■ Sagen wir 4 Euro?
▲ Na gut, okay!

1 **Was fehlt den Personen? Sehen Sie die Zeichnungen an und ergänzen Sie.**

Hubertus Grille braucht eine Brille

Hubertus Grille braucht eine Brille.	**Marina Hartner** sucht ______ ______. ♥♥♥ ♀ sucht ♂ ♥♥♥	**Benjamin Rüssel** hat ______ ______.	**Janina Rift** hat ______ ______.
Alina Hampe braucht ______ ______.	**Liane Rühle** hat ______ ______.	**Johannes Frisch** hat ______ ______.	**Elena Blücher** kauft ______ ______.
Hans-Peter Reife hat ______ ______.	**Mario Klinge** hat ______ ______.	**Florian Masche** braucht ______ ______.	**Larissa Nuhr** hat ______ ______.

Wir suchen hier. Wir suchen da.
Wir finden alles. Das ist ja klar.
Wir lernen sehr schnell. Es ist ja nicht schwer.
Wir brauchen keine Hilfe. Nein, nein, nein – danke sehr!

▶ 1 40 **2** **Hören Sie das Lied und vergleichen Sie.**

▶ 1 40 **3** **Hören Sie das Lied noch einmal und singen Sie mit.**

Du kannst wirklich toll ...! 7

Hören: Aussagen zu Freizeitaktivitäten

Sprechen: Komplimente machen: *Du kannst super tanzen!*; über Hobbys/Fähigkeiten sprechen: *Mein Hobby ist tanzen., Ich kann gut singen.*; um etwas bitten: *Kann ich telefonieren?*; sich bedanken: *Oh, danke!*

Wortfeld: Freizeitaktivitäten

Grammatik: Modalverb *können*; Satzklammer: *Du kannst super Gitarre spielen.*

1 Sehen Sie das Foto an. Was für ein Kompliment macht der Mann wohl der Frau?

Ich glaube, er sagt: Du ...

▶ 2 01 **2 Was passt? Hören Sie und kreuzen Sie an.**

noch einmal?

	Gespräch 1	2	3
a Du kannst wirklich toll kochen.	○	○	○
b Du kannst ja super tanzen.	○	○	○
c Deine Augen sind sehr schön.	○	○	○

3 Welches Gespräch passt am besten zum Foto?
Machen Sie eine Kursstatistik.

	Frauen		Männer
Gespräch	1 II	Gespräch	1
	2		2
	3 I		3 II

AB **4** **Du kannst ja super tanzen!**

a **Lesen Sie die Komplimente und ordnen Sie zu.**

① Sie können aber toll Ski fahren.
○ Du kannst wirklich sehr gut Gitarre spielen.
○ Wow! – Du kannst ja super tanzen.
○ Du kannst wirklich gut Tennis spielen.

b **Was machen die anderen Personen?**
Suchen Sie die Wörter im Bildlexikon und schreiben Sie.

7 backen

AB **5** **Schreiben Sie die Sätze in die Tabelle.**
Verwenden Sie die passende Form von *können*.

a können – wirklich super – du – Gitarre – spielen
b ihr – können – gut – tanzen?
c Ski fahren – Sie – aber toll – können
d können – Tennis – spielen – ja super – er
e Schach – Sie – können – spielen?

Du	kannst	wirklich super Gitarre	spielen.
	Könnt	ihr gut ...	?

GRAMMATIK

	können
ich	kann
du	kannst
er/sie	kann
wir	können
ihr	könnt
sie/Sie	können

GRAMMATIK

Du	kannst	wirklich sehr gut Gitarre	spielen.
	Kannst	du das noch einmal	sagen?

AB **6** **Ich kann ein bisschen Schach spielen.**

a **Ordnen Sie die Wörter.**

ein bisschen | gar nicht | ~~toll / sehr gut / super~~ | nicht | gut | nicht so gut

 toll / sehr gut / super, ______ 

b **Wer kann was? Arbeiten Sie auf Seite 83. Ihre Partnerin / Ihr Partner arbeitet auf Seite 86.**

c **Was können Sie gut / gar nicht? Sprechen Sie.**

kochen | singen | malen | Schach spielen | Ski fahren | Fußball spielen | backen | Gitarre spielen | ...

■ Ich kann ein bisschen Schach spielen. Und du?
▲ Ich kann gar nicht Schach spielen. Aber ich kann gut malen.

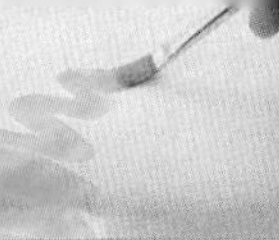

Fußball spielen | malen | backen | Musik hören | spazieren gehen | Schach spielen | Rad fahren

Diktat

7 Komplimente machen

**Arbeiten Sie zu viert. Spielen Sie ein Hobby vor.
Die anderen machen Komplimente. Bedanken Sie sich dann.**

- ■ Du kannst ja toll singen!
- ● Du kannst wirklich toll singen!
- ▲ Vielen Dank! / Oh, danke! / Danke sehr! / Herzlichen Dank.

KOMMUNIKATION

Du kannst	ja aber wirklich	toll/super singen!

▶ 2 02-04 AB Film

8 Mein Hobby ist ...

a Hören Sie. Welches Foto passt?

◯ 
◯ 
◯ 

b Hören Sie noch einmal und ordnen Sie zu.

(1) Das macht Spaß! ◯ Oft gehe ich spazieren. ◯ Ich höre gern Musik.
◯ Ich liebe die Natur. ◯ Ich liebe Musik. ◯ Ich mache sehr gern Ausflüge.
◯ Mein Hobby ist Fußball. ◯ Mein Lieblingskomponist ist Johann Sebastian Bach.

Spiel & Spaß

c Was machen Sie gern in der Freizeit? Sprechen Sie.

KOMMUNIKATION

Was sind deine Hobbys?	Meine Hobbys sind ... und ... Mein Hobby ist ...
Was machst du in der Freizeit?	Ich ... gern. Das macht Spaß. Ich liebe ...
Fährst du gern Ski/Rad/...?	Nein, ich kann nicht Ski/Rad/... fahren. Nein, ich fahre nicht gern Ski/Rad/...
Liest du gern ... / Triffst du gern ...?	Ich lese gern und treffe Freunde.
Wie oft gehst du ins Kino/Theater/...?	Ich gehe oft/manchmal/nie ins Kino/Theater/... Mein Lieblingsfilm/Lieblings-... ist ...

INFO

	fahren	lesen	treffen
ich	fahre	lese	treffe
du	fährst	liest	triffst
er/sie	fährt	liest	trifft

INFO

0% ——— 100%
nie, fast nie, manchmal, oft, immer

interessant?

9 Gespräche üben: Wer macht was wie oft? Arbeiten Sie auf Seite 81.

AB 10 Um etwas bitten

a Arbeiten Sie zu zweit. Würfeln Sie eine Antwort. Fragen und antworten Sie dann

1 ■ Kann ich mal telefonieren?

2 ■ Kann ich hier rauchen?

3 ■ Kann ich das Auto haben?

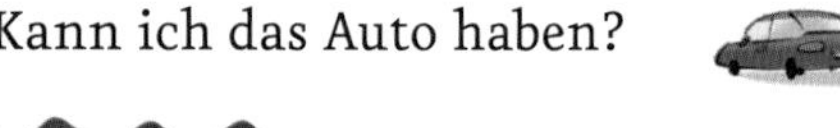

▲ Ja, klar. / Ja, natürlich. / Ja, gern.

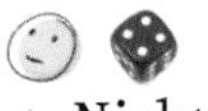

▲ Nicht so gern.

▲ Nein, das geht leider nicht. / Nein, tut mir leid.

b Worum können Sie noch bitten?
Schreiben Sie vier Fragen auf Karten.

Kann ich das Feuerzeug haben?

Legen Sie die Karten auf einen Stapel.

c Spielen Sie zu viert. Ziehen Sie Karten. Fragen und antworten Sie dann.

Audiotraining | Karaoke

GRAMMATIK

Modalverb können: Konjugation	
	können
ich	kann
du	kannst
er/sie	kann
wir	können
ihr	könnt
sie/Sie	können

Modalverben: Satzklammer				
Aussage	Du	kannst	wirklich super Gitarre	spielen.
Frage/ Bitte		Kannst	du das noch einmal	sagen?

KOMMUNIKATION

Komplimente machen und sich bedanken
Sie können ja/wirklich/aber/toll/super/sehr gut tanzen ...
Vielen Dank! / Oh, danke! / Danke sehr! / Herzlichen Dank.

Fähigkeiten
Ich kann (gar) nicht / nicht so gut / ein bisschen / (sehr) gut singen/...

über Hobbys sprechen	
Was sind deine Hobbys?	Meine Hobbys sind ... und ... Mein Hobby ist ...
Was machst du in der Freizeit?	Ich ... gern. Das macht Spaß. Ich liebe ...
Fährst du gern Ski/Rad/...?	Nein, ich kann nicht Ski/Rad/... fahren. Nein, ich fahre nicht gern Ski/Rad/... Ich lese gern und treffe Freunde.
Wie oft gehst du ins Kino ...?	Ich gehe oft/manchmal/nie ins Kino. Mein Lieblingsfilm/Lieblings-... ist ...

um etwas bitten
Kann ich mal telefonieren / hier rauchen?

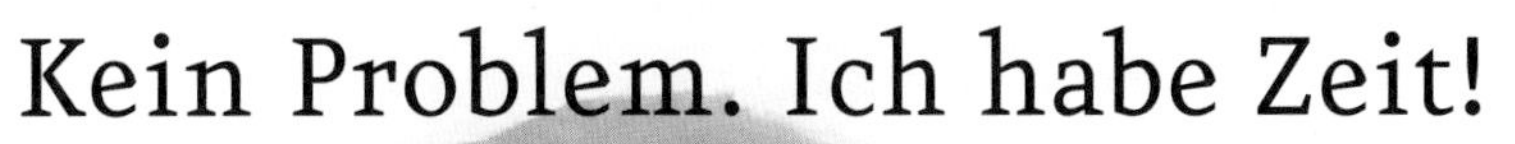

Kein Problem. Ich habe Zeit! 8

Sprechen: sich verabreden: *Hast du am Nachmittag Zeit?*; einen Vorschlag machen und darauf reagieren: *Gehen wir ins Kino?*

Lesen: SMS, Chat

Schreiben: Einladung/ Absage

Wortfelder: Tageszeiten, Wochentage, Uhrzeiten, Freizeitaktivitäten

Grammatik: Verbposition im Satz: *Heute Abend habe ich keine Zeit.*; temporale Präpositionen *am, um*

1 Sehen Sie das Foto an. Was schreibt Karina? Was meinen Sie?

2 Manuel oder Jonas?

▶ 2 05 **a Was sagt Manuel? Was sagt Jonas? Hören Sie und ordnen Sie zu.**

Manuel

Gehen wir ins Schwimmbad?

Gehen wir ins Kino?

Heute Nachmittag um vier.

Jonas

b Karina hat ein Problem. Was macht sie jetzt wohl?

■ Ich glaube, sie geht mit Manuel ins Schwimmbad.
▲ Nein, das glaube ich nicht. Ich glaube, ...

3 Was ist richtig? Lesen Sie die SMS und kreuzen Sie an.

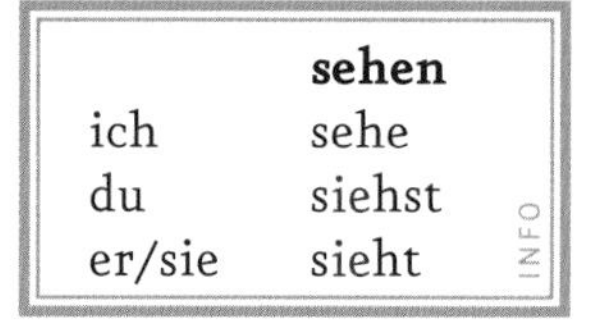

	sehen
ich	sehe
du	siehst
er/sie	sieht

INFO

a Karina ◯ geht heute Nachmittag mit Manuel ins Schwimmbad.
◯ geht heute Nachmittag nicht mit Manuel ins Schwimmbad.

b LG = ◯ Liebe und Grüße
◯ Liebe Grüße

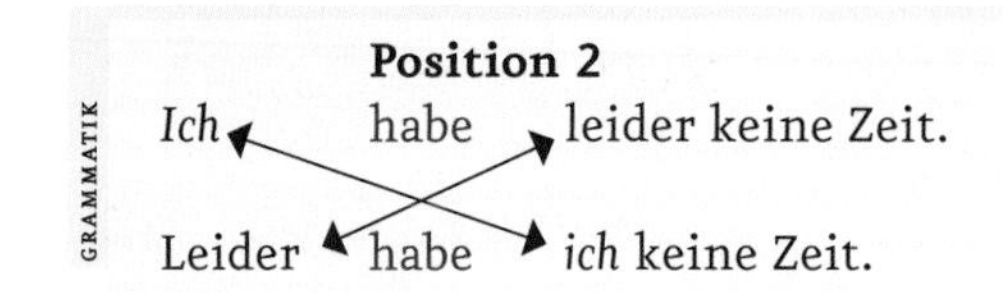

AB

4 Was macht Ihre Partnerin / Ihr Partner heute Nachmittag?

a Schreiben Sie Karten. Verwenden Sie die Wörter aus dem Bildlexikon der Lektionen 7 und 8.

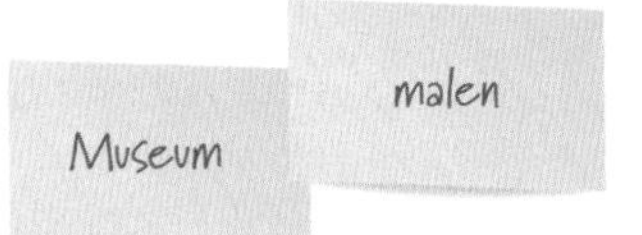

b Ziehen Sie eine Karte  und antworten Sie.

KOMMUNIKATION

Hast du heute Nachmittag Zeit?	Nein, leider nicht. / Nein, ich habe leider keine Zeit. / Nein, leider habe ich keine Zeit.
Warum nicht?	Heute Nachmittag gehe ich ins Museum. / Ich gehe heute Nachmittag ins Museum. / Heute Nachmittag male ich.

ins	● Konzert ...
in	● eine Ausstellung ...

INFO

AB

5 Wie spät ist es?

▶ 2 06 **a** Hören Sie und ergänzen Sie *vor* oder *nach*.

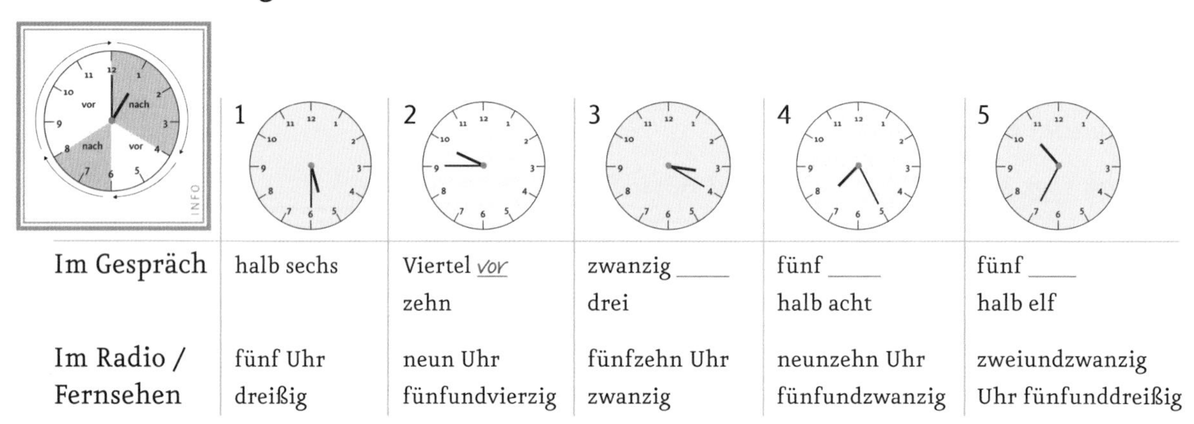

	1	2	3	4	5
Im Gespräch	halb sechs	Viertel *vor* zehn	zwanzig ___ drei	fünf ___ halb acht	fünf ___ halb elf
Im Radio / Fernsehen	fünf Uhr dreißig	neun Uhr fünfundvierzig	fünfzehn Uhr zwanzig	neunzehn Uhr fünfundzwanzig	zweiundzwanzig Uhr fünfunddreißig

b Uhrzeiten üben: Arbeiten Sie zu zweit auf Seite 80.

6 Was macht Manuel heute Nachmittag?

a Lesen Sie den Chat und ergänzen Sie.

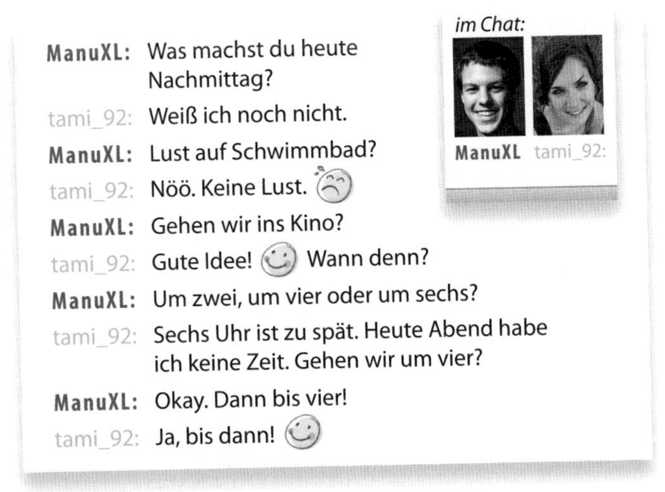

GRAMMATIK
Wann?
um drei Uhr / halb vier / ...

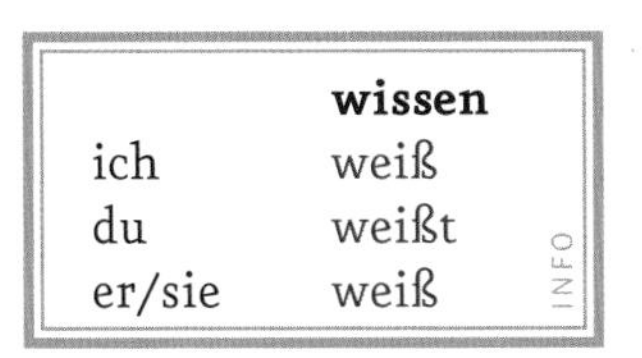

	wissen
ich	weiß
du	weißt
er/sie	weiß

INFO

1 Manuel und Tamara gehen ins __________.

2 Manuel trifft Tamara heute um __________.

Spiel & Spaß

b Etwas vorschlagen und darauf reagieren. Was passt? Ordnen Sie zu.

Gehen wir ins Kino? | ~~Vielleicht.~~ | Gute Idee! | ~~Vielleicht können wir morgen Abend ins Theater gehen.~~ | Tut mir leid, ich habe keine Lust. | ~~Ich kann leider nicht. Ich gehe ...~~ | Das weiß ich noch nicht. | Okay. | ~~Ja, klar.~~ | Heute Abend habe ich leider keine Zeit. | Lust auf ...?

etwas vorschlagen:
Vielleicht können wir morgen Abend ins Theater gehen.

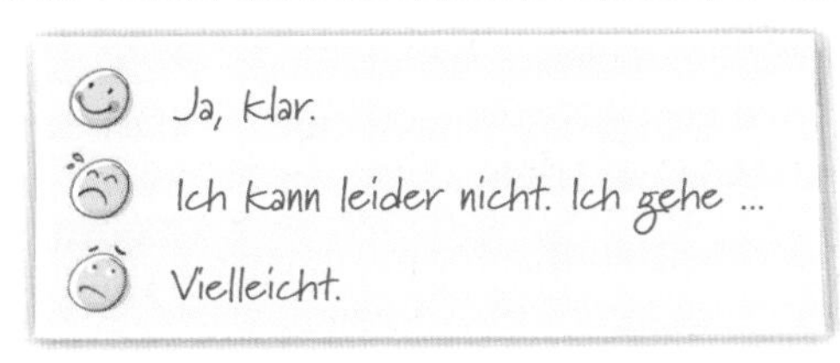

c Verabreden Sie sich im Chat. Arbeiten Sie zu zweit auf Seite 87.

AB

7 Am Montagabend spiele ich Fußball.

a Ergänzen Sie die Wochentage.

~~Mittwoch~~ | ~~Montag~~ | Sonntag | Samstag | Dienstag | Donnerstag | Freitag

Woche 18	*Montag*	______	*Mittwoch*	______	______	______	______

interessant?

b Tageszeiten. Ordnen Sie zu.

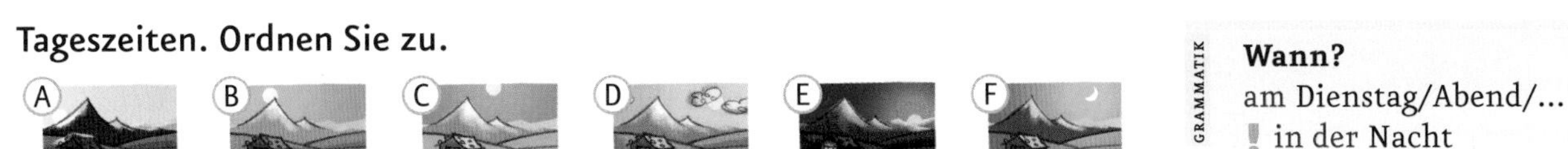

__ der Vormittag
__ die Nacht
__ der Abend
__ der Mittag
__ der Nachmittag
A der Morgen

GRAMMATIK
Wann?
am Dienstag/Abend/...
! in der Nacht

Mein Lieblingstag ist der Mittwoch. Besonders der Abend. Am Mittwochabend tanze ich Salsa.

Film

c Gespräche üben: sich verabreden.
Arbeiten Sie zu zweit auf den Seiten 89 und 93.

d Welcher Tag ist Ihr Lieblingstag? Was ist Ihre Lieblingstageszeit? Was machen Sie da?

SCHREIBTRAINING

8 Absagen

a Lesen Sie die E-Mail und kreuzen Sie an.

Die E-Mail ist ◯ höflich ◯ unhöflich.

Betreff: Heute

Timo!
Komme doch nicht.
Keine Zeit!
Sina

b Sortieren Sie die Wendungen. Schreiben Sie dann die E-Mail neu.

◯ Liebe Grüße | ◯ leider kann ich doch nicht kommen. | ◯ Vielleicht können wir morgen Abend ins Theater gehen? | ① Lieber Timo, | ◯ Ich habe keine Zeit.

Diktat

c Laden Sie Ihre Partnerin / Ihren Partner ein. Sie/Er sagt schriftlich zu oder ab.

KOMMUNIKATION

Liebe/r ...
Hast du am ... Zeit? / Kannst du am ...?
Markus und Svenja kommen um ...
zum Essen / zum Kaffee.
Kommst du auch? / Hast du auch Zeit?
Liebe/Herzliche Grüße

Lieber Timo,
...

Audiotraining

Karaoke

GRAMMATIK

temporale Präpositionen am, um		
am	+ Wochentage/ Tageszeiten	am Dienstag / am Abend ! in der Nacht
um	+ Uhrzeiten	um drei Uhr

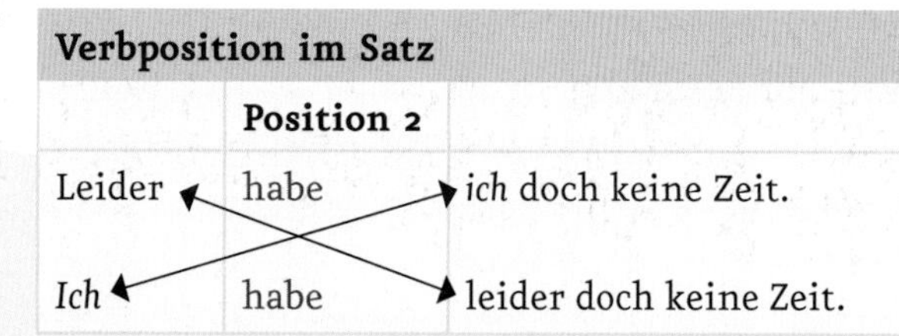

Verbposition im Satz		
	Position 2	
Leider	habe	*ich* doch keine Zeit.
Ich	habe	leider doch keine Zeit.

KOMMUNIKATION

sich verabreden	
Hast du heute Abend / am ... Zeit? Kannst du heute Abend / am ...?	Ja, klar. Das weiß ich noch nicht. Vielleicht. Heute Abend / Am ... habe ich leider keine Zeit.

einen Vorschlag machen und darauf reagieren	
Gehen wir ins Kino / ...? Vielleicht können wir morgen Abend in(s) ... gehen? Lust auf Schwimmbad?	Gute Idee! / Okay! Nein, leider nicht. Ich habe keine Zeit. Tut mir leid, ich habe keine Lust. Ich kann leider nicht. Ich gehe ...

Verabredungen absagen
Ich kann leider doch nicht kommen.

einen Zeitpunkt angeben	
Wann denn?	Am Dienstag / Abend / Mittwochabend / ... um ... Uhr. Um drei / halb vier.

Uhrzeit	
Wie spät ist es? / Wie viel Uhr ist es?	Es ist Viertel vor drei / halb sechs.

Ich möchte was essen, Onkel Harry. 9

Hören: Gespräch über Vorlieben beim Essen
Sprechen: über Essgewohnheiten sprechen: *Ich esse gern Müsli zum Frühstück.*; beim Essen: *Möchten Sie Kaffee oder Tee?*
Lesen: Comic
Wortfeld: Lebensmittel und Speisen
Grammatik: Konjugation *mögen*, *„möchte"*; Wortbildung Nomen + Nomen: *der Tomatensalat*

1 Sehen Sie das Foto an.
Was haben Sie im Kühlschrank? Hilfe finden Sie im Bildlexikon oder im Wörterbuch.

(fast) immer	oft	manchmal	(fast) nie
Milch			

Ich habe immer Milch im Kühlschrank.

▶ 2 07 **2 Was ist richtig?**
Hören Sie und kreuzen Sie an.

a	Tim hat	☒ Hunger.	○ Durst.	
b	Tim mag	○ keinen Schinken.	○ keinen Käse.	○ keine Schokolade.
c	Onkel Harry hat	○ keinen Schinken.	○ keinen Käse.	○ keine Schokolade.
d	Tim isst	○ ein Schinkenbrot.	○ ein Käsebrot.	○ ein Stück Kuchen.

AB Spiel & Spaß

3 Was essen Sie gern zum Frühstück?

Interviewen Sie Ihre Partnerin / Ihren Partner und notieren Sie.

	Ich Was? Wann?	Meine Partnerin / Mein Partner Was? Wann?
in der Woche (Montag – Freitag)		
am Wochenende (Samstag + Sonntag)		

GRAMMATIK

	mögen
ich	mag
du	magst
er/sie	mag

■ Was isst du gern zum Frühstück?
▲ Käsebrötchen. Und du?
■ Ich mag keinen Käse, aber Müsli esse ich sehr gern. Und wann frühstückst du?
▲ In der Woche frühstücke ich schon um sechs. Aber am Sonntag frühstücke ich oft erst um elf Uhr.

INFO

	essen
ich	esse
du	isst
er/sie	isst

AB

4 Eine Einladung

a Lesen Sie den Comic. Beantworten Sie die Fragen. Was meinen Sie?

1 Kennt Fridolin Wurstsuppe?
2 Wie schmeckt die Suppe?
3 Trinkt Fridolin einen Kaffee?

GRAMMATIK

	„möchte“
ich	möchte
du	möchtest
er/sie	möchte

Diktat

b Lesen Sie den Comic noch einmal und ergänzen Sie die passenden Antworten.

KOMMUNIKATION

Bitte sehr!	*Oh, vielen Dank.*
Guten Appetit!	________
Möchten Sie noch etwas Wurstsuppe?	☹ ________
Möchten Sie einen Kaffee?	☺ ________

      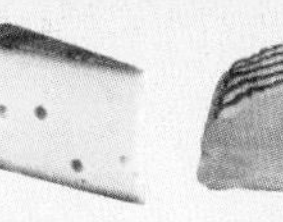 

● Orange ● Milch ● Butter ● Fisch ● Tomate ● Salat ● Käse ● Schinken

Spiel & Spaß

AB **5** **Gespräche üben: Möchten Sie noch etwas ...? Arbeiten Sie zu zweit auf Seite 90.**

AB **6** **Kartoffeleis und Orangenbraten**

a **Suchen Sie die Artikel im Bildlexikon und ergänzen Sie.**

GRAMMATIK

	Nomen 1	+	Nomen 2
das Schinkenbrot	der Schinken	+	____ Brot
der Schokoladenkuchen	____ Schokolade	+	____ Kuchen
die Fischsuppe	____ Fisch	+	____ Suppe

b **Würfeln Sie und stellen Sie Ihre Speisekarte zusammen.**

⚀	Käse-	-pizza	⚀
⚁	Fisch-	-salat	⚁
⚂	Zitronen-	-suppe	⚂
⚃	Zwiebel-	-eis	⚃
⚄	Eier-	-kuchen	⚄
⚅	Obst-	-reis	⚅

■ Was essen wir als Vorspeise?

▲ ⚁ ⚃ Fischeis.

Vorspeise

____________ oder

____

Hauptgericht

____________ oder

____

Dessert

____________ oder

____

Beruf

c **Laden Sie zwei Kursteilnehmer/-innen zum Essen ein.**

■ Ich koche heute Abend etwas.

▲ Was kochst du denn?

■ Als Vorspeise essen wir / mache ich Zwiebeleis. / Als Hauptgericht ... Kommst du?

▲ ☹ Oh, das tut mir leid. Ich habe leider doch keine Zeit. /

☺ Ja, ich komme gern.

AB **7** **Typische Gerichte aus den deutschsprachigen Ländern**

interessant?

a Lesen Sie die Speisekarte und wählen Sie Ihre Favoriten.

Speisekarte

Vorspeise

Leberknödelsuppe

Hamburger Aalsuppe

Hauptspeise

Zürcher Geschnetzeltes mit Rösti

Wiener Schnitzel (aus Kalbfleisch) mit Kartoffelsalat

Dessert

Apfelstrudel mit Vanilleeis

Rote Grütze mit Sahne

b Was sind die Favoriten in Ihrem Kurs? Machen Sie eine Statistik.

Audiotraining

Karaoke

GRAMMATIK

Verb: Konjugation

	mögen	„möchte“
ich	mag	möchte
du	magst	möchtest
er/es/sie	mag	möchte
wir	mögen	möchten
ihr	mögt	möchtet
sie/Sie	mögen	möchten

„möchte“ im Satz

Ich	möchte	etwas	essen.

Wortbildung: Nomen + Nomen

der Schokoladenkuchen	die Schokolade	+	der Kuchen
die Fischsuppe	der Fisch	+	die Suppe

KOMMUNIKATION

über Essen/Essgewohnheiten sprechen

Was isst du gern zum Frühstück?	Ich esse gern Käsebrötchen/... zum Frühstück. Und du? Ich mag keinen Käse/..., aber Müsli/... esse ich gern.
Wann frühstückst du?	In der Woche frühstücke ich schon um sechs Uhr. Am Wochenende/Sonntag frühstücke ich oft erst um elf Uhr.
Was essen wir als Vorspeise/Hauptgericht/Dessert?	Als Vorspeise essen wir Suppe.

beim Essen

Möchten Sie einen Kaffee/...?	Oh ja! Bitte. / Ja. gern
Möchten Sie noch etwas Suppe/...?	Nein, danke!
Guten Appetit!	Danke, ebenfalls/gleichfalls. ... schmeckt sehr gut.

BINGOBABY

STARTSEITE | PROFIL | MEIN KONTO

Anja Ebner

└ Meine Seite bearbeiten

WILLKOMMEN
NEUES
VERANSTALTUNGEN
FOTOS
FREUNDE
└ 22 Freunde sind online

VERANSTALTUNGEN

Heute

Samstag, 29. Mai, 14:30 Uhr

Möchtest Du grillen, schwimmen und Beachvolleyball spielen? Marlene, Gisi, Vera und ich machen heute einen Frauen-Ausflug. Wir fahren mit dem Rad zum ‚Seebad'. Hast Du Zeit? Ja? Na dann: Warum kommst Du nicht auch? Na los!

Ich komme

Morgen

Sonntag, 30. Mai, Start: 10 Uhr, Ende: ???

Was machst Du am Sonntag um 10 Uhr? Schlafen? Lesen? Im Internet surfen? Oder schön frühstücken? Wir machen nämlich wieder ein „Musikfrühstück" bei uns im Garten. Andi (Gitarre), Verena (Flöte) und ich (Cello) machen Musik (Klassik & Jazz). Es gibt Brötchen, Marmelade, Honig, Wurst, Käse, Obst, Kaffee, Tee, Milch und Orangensaft. Wer möchte ein Ei? Bitte melden!

Ich komme

Juni

Donnerstag, 3. Juni, 20 Uhr

Einmal im Jahr kommt im ‚Tivoli' mein absoluter Lieblingsfilm: „Haben und Nichthaben" mit Humphrey Bogart und Lauren Bacall. Magst Du ihn auch so gern? Dann sehen wir uns heute Abend um 20 Uhr im ‚Tivoli', okay? Ich freue mich schon!

Ich komme

1 Welche Überschrift passt zu den Veranstaltungen? Lesen und ergänzen Sie.

Frühstück mit Musik | Nur für Frauen! | Endlich wieder Kino!

2 Ausflug, Musikfrühstück oder Film? Was möchten Sie mit Anja machen? Warum?

Ich fahre gern Rad. Ich möchte mit Anja einen Ausflug machen.

3 Und Sie? Was machen Sie am Wochenende? Schreiben Sie Ihren Blog.

▶ Clip 7

1 Mein Hobby ist Inlineskaten.

Sehen Sie die Reportage und korrigieren Sie.

a Lilian ist 37 Jahre alt. ____________
b Sie wohnt in Wien. ____________
c Sie ist Friseurin von Beruf. ____________
d In der Freizeit skatet Lilian nicht gern. ____________
e Lilian skatet schon vier Jahre. ____________
f Lilian übt sehr oft. ____________
g Oliver macht das Skaten ~~keinen~~ Spaß. auch

▶ Clip 8

2 Was macht ihr heute Abend? – Was passt?

Sehen Sie die Kurzinterviews und verbinden Sie.

	vielleicht in eine Disco gehen
a Das Paar: ——	Freunde besuchen
b Der Mann:	essen
c Die Frau:	Musik hören
	zu einem Fußballspiel gehen
	vielleicht ins Kino gehen

▶ Clip 9

3 Mein Lieblingsrestaurant: der Gasthof Birner in Wien – Was essen Tina und Lukas? Sehen Sie die Reportage und kreuzen Sie an.

Getränke

- ◯ Bier
- ◯ Wasser
- ◯ Apfelsaft
- ◯ Kaffee

Speisen

- ◯ Currywurst mit Pommes frites
- ◯ Wiener Schnitzel mit Pommes frites
- ◯ Wiener Schnitzel mit Erdäpfelsalat
- ◯ Gulasch mit Knödel
- ◯ Matjes in Sahnesoße mit Pellkartoffeln
- ◯ Grünkohl mit Kassler und süßen Kartoffeln
- ◯ Zürcher Geschnetzeltes mit Rösti
- ◯ Schweinebraten mit Rotkohl und Knödel

1 **Was ist richtig? Lesen Sie das Rezept und kreuzen Sie an.**

Labskaus eine norddeutsche Spezialität

Labskaus kommt aus Norddeutschland und ist ein traditionelles Seefahreressen. Früher war Labskaus ein Resteessen. Resteessen bedeutet: Man kauft nicht extra ein. Man sieht nach: Was hat man zu Hause? Daraus kocht man dann etwas. Doch heute macht man Labskaus nicht mehr aus Resten. Man verwendet frische Zutaten.

Sie möchten Labskaus selbst machen? Das ist ganz leicht:
Stampfen Sie Corned Beef und Kartoffeln und würzen Sie mit Salz und Pfeffer. Sie können auch Zwiebeln dazugeben.
Dazu essen Sie Spiegelei und Gewürzgurke.

Sie brauchen:
500 g Kartoffeln
350 g Corned Beef
3 Zwiebeln
Salz, Pfeffer
Spiegelei , Gewürzgurke 

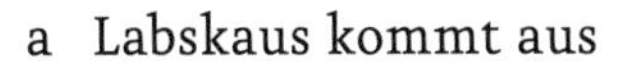

a Labskaus kommt aus ○  . ○  .

b Das Gericht macht man heute ○ aus Resten. ○ aus frischen Zutaten.

c Für Labskaus brauchen Sie ○ keine Kartoffeln. ○ viele Kartoffeln.

2 **Typische Gerichte aus den deutschsprachigen Ländern**

a **Wählen Sie ein typisches Gericht aus Deutschland, Österreich oder der Schweiz. Suchen Sie Fotos und Informationen im Internet und machen Sie Notizen zu den Fragen. Schreiben Sie dann ein Rezept wie in 1.**

1 Wie heißt das Gericht?
2 Woher kommt es?
3 Sie möchten das Gericht kochen. Was brauchen Sie?

b **Präsentieren Sie Ihr Gericht im Kurs und machen Sie ein Kursrezeptbuch mit allen Gerichten.**

Mein Gericht heißt Käsefondue. Es kommt aus der Schweiz.Du brauchst: Käse, Wein und Brot.

▶ 2 08 **1 Hören Sie das Lied und sortieren Sie die Strophen.**

Heute ist der Tag!

○ Tina, wann kann ich dich heute sehen?
Tina, möchtest du spazieren gehen?
Hhmm, du bist wunderschön!
Hast du heute Zeit?
Ich möchte dich so gerne sehen!

○ Tina, ich möchte dich was fragen:
Tina, was machst du heute Abend?
Hhmm, der Tag heute ist so schön!
Sag, hast du Zeit?
Ich möchte dich heute Abend sehen.

② Wir können essen, können trinken.
Möchtest du noch ein Glas Wein?
Wir können tanzen, können singen,
können einfach glücklich sein.

○ Wir können essen, können trinken.
Möchtest du noch ein Glas Wein?
Wir können tanzen, können singen,
können einfach glücklich sein.

③ Tina! Hhmm, Tina!
Wie gern ich dich mag!
Ich weiß es ganz genau:
Heute ist der Tag!

○ Tina! Oh, Tina!
Wie gern ich dich mag!
Ich weiß es ganz genau:
Heute ist der Tag!

▶ 2 08 **2 Hören Sie noch einmal und singen Sie mit.**

Ich steige jetzt in die U-Bahn ein. 10

Hören: Durchsagen

Sprechen: sich informieren: *Wann kommst du in Hamburg an?*; ein Telefonat beenden: *Also dann ...*

Wortfelder: Verkehrsmittel, Reisen

Grammatik: trennbare Verben: *Ich rufe dich an.*

▶ 2 09 **1** **Schließen Sie die Augen und hören Sie.**
Was „sehen" Sie? Hilfe finden Sie auch im Wörterbuch.

Ein Kind singt.

▶ 2 10 **2** **Was ist richtig? Sehen Sie das Foto an, hören Sie und kreuzen Sie an.**

a Wo ist der Mann?

- ○ am Flughafen
- ○ am Bahnhof

b Was macht der Mann?

- ○ Er steigt aus.
- ○ Er steigt ein.

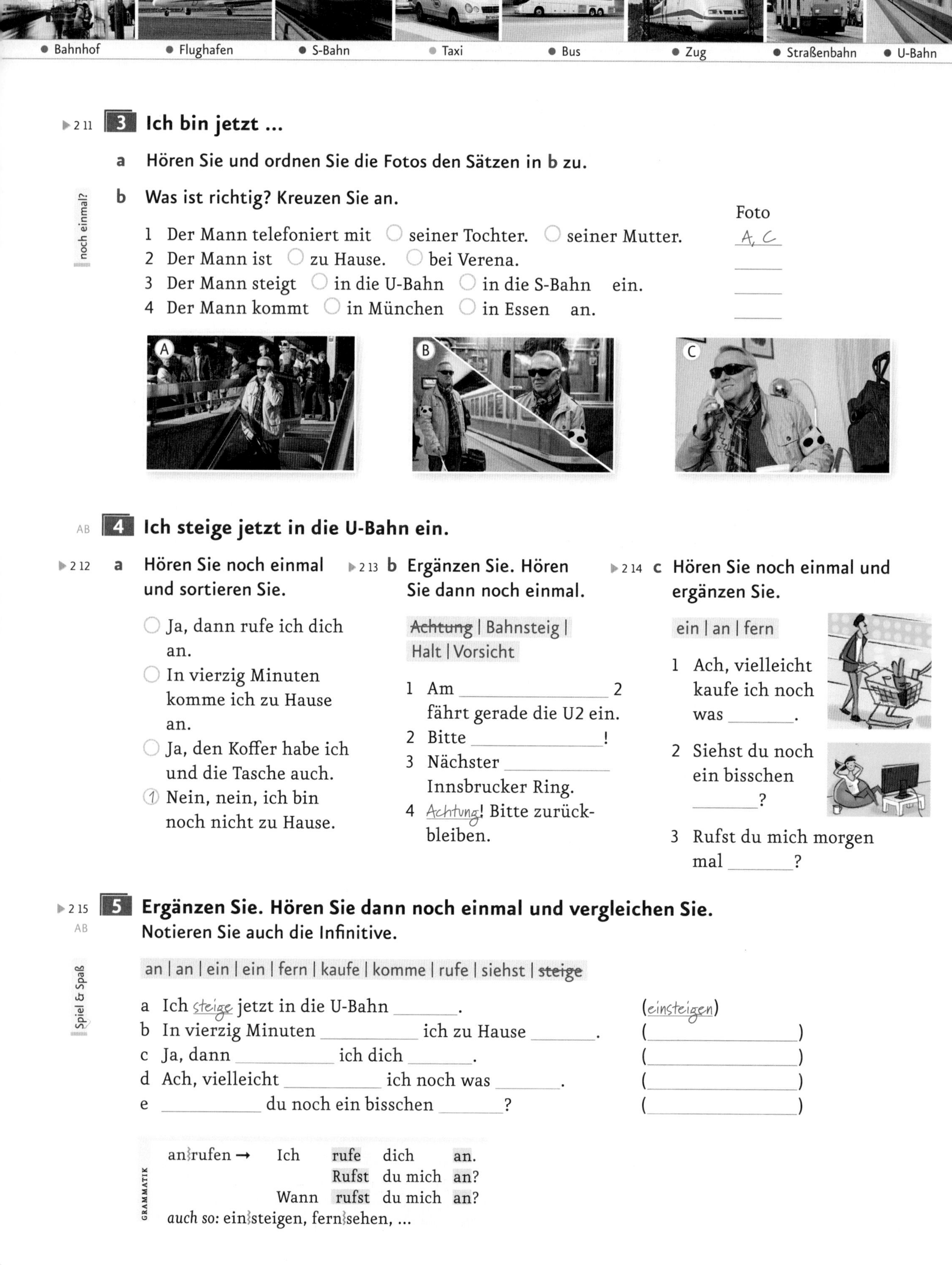

▶ 2 11 **3** **Ich bin jetzt ...**

a **Hören Sie und ordnen Sie die Fotos den Sätzen in b zu.**

noch einmal?

b **Was ist richtig? Kreuzen Sie an.**

Foto

1 Der Mann telefoniert mit ◯ seiner Tochter. ◯ seiner Mutter. A, C
2 Der Mann ist ◯ zu Hause. ◯ bei Verena. ______
3 Der Mann steigt ◯ in die U-Bahn ◯ in die S-Bahn ein. ______
4 Der Mann kommt ◯ in München ◯ in Essen an. ______

A B C

AB **4** **Ich steige jetzt in die U-Bahn ein.**

▶ 2 12 a **Hören Sie noch einmal und sortieren Sie.**

◯ Ja, dann rufe ich dich an.
◯ In vierzig Minuten komme ich zu Hause an.
◯ Ja, den Koffer habe ich und die Tasche auch.
① Nein, nein, ich bin noch nicht zu Hause.

▶ 2 13 b **Ergänzen Sie. Hören Sie dann noch einmal.**

~~Achtung~~ | Bahnsteig | Halt | Vorsicht

1 Am ______________ 2 fährt gerade die U2 ein.
2 Bitte ______________!
3 Nächster ______________ Innsbrucker Ring.
4 Achtung! Bitte zurückbleiben.

▶ 2 14 c **Hören Sie noch einmal und ergänzen Sie.**

ein | an | fern

1 Ach, vielleicht kaufe ich noch was ________.
2 Siehst du noch ein bisschen ________?
3 Rufst du mich morgen mal ________?

▶ 2 15 AB **5** **Ergänzen Sie. Hören Sie dann noch einmal und vergleichen Sie. Notieren Sie auch die Infinitive.**

Spiel & Spaß

an | an | ein | ein | fern | kaufe | komme | rufe | siehst | ~~steige~~

a Ich steige jetzt in die U-Bahn ________. (einsteigen)
b In vierzig Minuten ____________ ich zu Hause ________. (______________)
c Ja, dann ____________ ich dich ________. (______________)
d Ach, vielleicht ____________ ich noch was ________. (______________)
e ____________ du noch ein bisschen ________? (______________)

GRAMMATIK

an¦rufen →	Ich	rufe	dich	an.
		Rufst	du mich	an?
	Wann	rufst	du mich	an?

auch so: ein¦steigen, fern¦sehen, ...

AB | Diktat

6 Gespräche üben: Wann kommst du an?

Arbeiten Sie auf Seite 88. Ihre Partnerin / Ihr Partner arbeitet auf Seite 94.

AB | Spiel & Spaß

7 Am Bahnhof

a Was passt? Ergänzen Sie die Wörter aus dem Bildlexikon. Kennen Sie noch weitere Wörter?

Beruf

b Welches Foto passt? Ordnen Sie zu.

(4) a ■ Nimmst du ein Taxi?
▲ Nein, ich nehme die S-Bahn und steige dann in den Bus um.

○ b ■ Bringst du einen Cappuccino mit?
▲ Ja, gern.

○ c ■ Wo fährt der Zug nach München ab?
▲ Auf Gleis 10.

○ d ■ Entschuldigen Sie, fährt ein Bus vom Hauptbahnhof zum Flughafen?
▲ Nein, aber die Straßenbahn fährt zum Flughafen.

○ e ■ Ich habe viel Gepäck. Holst du mich am Bahnhof ab?
▲ Ja, klar. Wann kommst du an?

INFO

	nehmen
ich	nehme
du	nimmst
er/sie	nimmt

8 Machen Sie zu zweit ein Satzpuzzle.

Schreiben Sie fünf Sätze mit den Wörtern aus dem Kasten und aus dem Bildlexikon. Zerschneiden Sie die Sätze und geben Sie sie einem anderen Paar.

mitbringen | umsteigen | abholen | abfahren | einsteigen | ankommen | aussteigen | fernsehen | einkaufen | anrufen

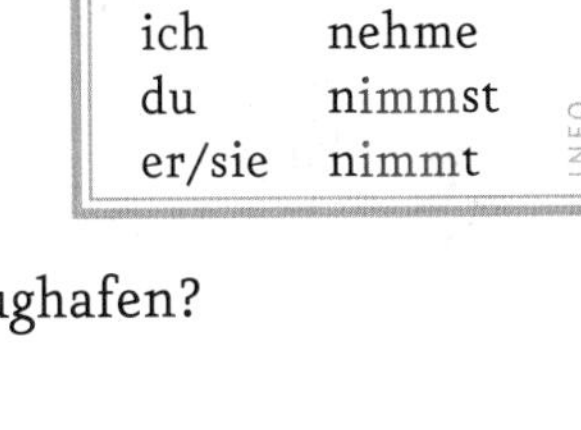

interessant?

9 Wo steigst du um? Arbeiten Sie zu viert auf Seite 91.

10 SPRECHTRAINING

▶ 2 16 **10 Also dann, auf Wiedersehen!**

a **Was sagt der Mann? Hören Sie noch einmal und kreuzen Sie an.**

- ◯ Ja, bis bald.
- ◯ Mach's gut!
- ◯ Tschüs.
- ◯ Gut, dann bis morgen.
- ◯ Pass auf dich auf!
- ◯ Also dann, auf Wiedersehen.

b **Wie verabschiedet man sich in Ihrer Muttersprache? Können Sie die Ausdrücke in a übersetzen?**

11 Gehen Sie durch den Kursraum und verabschieden Sie sich von den anderen.

Audiotraining

GRAMMATIK

trennbare Verben		
an¦rufen	→	Ich rufe dich an.
ein¦kaufen	→	Vielleicht kaufe ich noch was ein.

trennbare Verben im Satz				
Aussage	Vielleicht	kaufe	ich noch etwas	ein.
W-Frage	Wann	rufst	du mich	an?
Ja-/Nein-Frage		Rufst	du mich heute	an?

KOMMUNIKATION

Durchsagen
Am Bahnsteig zwei fährt die U2 ein. Bitte Vorsicht! Nächster Halt: Innsbrucker Ring. Achtung! Bitte zurückbleiben.

am Bahnhof: sich informieren	
Wo fährt der Zug nach ... ab?	Auf Gleis ...
Wann kommst du / kommt der Zug aus ... an?	Um ... Uhr.
Wo steigen wir aus?	Am Bahnhof / ...
Wo steigst du ein?	Auf Gleis ...
Holst du mich (am Bahnhof / ...) ab?	Ja, gern. Wann kommst du an?

ein Telefonat beenden
Gut, dann ... / Also dann ... Bis morgen. / Bis bald. Mach's gut! / Pass auf dich auf! Auf Wiedersehen! / Tschüs!

Was hast du heute gemacht? 11

Sprechen: über Vergangenes sprechen: *Was hast du gestern gemacht?*

Lesen: Terminkalender, E-Mail

Schreiben: einen Tagesablauf beschreiben

Wortfelder: Alltagsaktivitäten

Grammatik: Perfekt mit *haben*; temporale Präpositionen *von ... bis, ab*

1 Sehen Sie das Foto an. Fahren Sie auch gern Fahrrad? Wie oft und wohin?

täglich | zwei- bis dreimal in der Woche | nur am Wochenende | fast nie | nie
zum Einkaufen | zur Arbeit | ins Café/Schwimmbad/Kino/...

■ Also, ich fahre sehr gern Fahrrad. Ich fahre täglich zur Arbeit und zum Einkaufen.
▲ Wirklich? Ich fahre nie Fahrrad. Ich habe gar kein Fahrrad.

▶ 2 17 **2 Sehen Sie das Foto an und hören Sie. Wer ist Anja? Was meinen Sie?**

Alter: 29
Beruf:
Hobbys:
Kinder:
...

Ich glaube, Anja ist 29 Jahre alt und arbeitet als ...

Hausaufgaben machen

E-Mails schreiben

fern·sehen

ein·kaufen

schlafen

auf·räumen

AB 3 Was macht Anja heute?

Lesen Sie den Terminkalender. Spielen Sie dann ein Telefongespräch mit Anja.

MONTAG 3. JUNI

Termine:

9 Uhr	
10 Uhr	Büro
11 Uhr	
12 Uhr	
13 Uhr	13:15 Uhr Essen bei Barbara
14 Uhr	
15 Uhr	
16 Uhr	ab 16:00 Uhr Cello üben
17 Uhr	
18 Uhr	
19 Uhr	bis 20:30 Uhr Orchesterprobe
20 Uhr	
21 Uhr	

Notizen:

Dr. Weber anrufen!!!
Nora und Marc anrufen
Firma Bergmair / Küchenschrank fertig?
Geschenk für Tante Betti kaufen
Wein für die Party kaufen

■ Hallo Anja, was machst du gerade?
▲ Ich frühstücke gerade. Um Viertel vor neun gehe ich ins …

■ Und was machst du heute noch?
▲ Ich rufe heute noch Frau Dr. Weber an … Heute Abend habe ich von sechs bis halb neun Orchesterprobe.

GRAMMATIK

von 9 Uhr X ——→ X bis 13 Uhr

ab 9 Uhr
X (jetzt) —— X (9 Uhr) ——→

AB 4 Was machen Sie heute nach dem Deutschkurs?

Sehen Sie das Bildlexikon zwei Minuten lang an. Schließen Sie dann Ihr Buch. Ihre Kursleiterin / Ihr Kursleiter nennt die Tätigkeiten. Machen Sie das heute? Dann stehen Sie auf.

AB 5 Was hast du heute gemacht?

a Lesen Sie die E-Mails auf Seite 63 und kreuzen Sie an. Was meinen Sie?

1 Anja ist schwanger. Sie ○ hat ○ bekommt ein Baby.
2 Michi und Anja sind ○ ein Paar. ○ Kollegen.
3 Michi ist auf einer ○ Dienstreise. ○ Privatreise.
4 Michi findet seine Arbeit ○ interessant. ○ nicht so gut.
5 Anja hat ○ am Vormittag ○ am Nachmittag gearbeitet.
6 Barbara ist ○ eine Freundin ○ eine Kollegin von Anja.

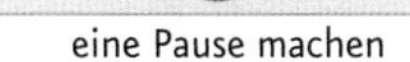

arbeiten | eine Pause machen | Deutsch lernen | Zeitung lesen | Kaffee kochen

Hallo mein Schatz,

geht's Dir gut? Gibt's was Neues? Was hast Du denn heute alles gemacht? Hast Du Frau Dr. Weber angerufen? Was hat sie gesagt? Und wie geht's dem Baby? Du hattest auch Orchesterprobe heute, richtig? Habt Ihr fleißig für das Konzert geübt?

Hier ist es wie immer: langweilig! Ich habe den ganzen Tag mit Geschäftspartnern und Kunden gesprochen. Und immer wieder habe ich gedacht: Jetzt möchte ich zu Hause sein, bei Dir und nicht in dieser Stadt hier.

Ich freue mich auf Dich!
Michi

	einladen
ich	lade ein
du	lädst ein
er/sie	lädt ein

INFO

Hallo mein Liebster,

ich habe auch oft an Dich gedacht! Mit Frau Dr. Weber habe ich heute Morgen telefoniert. Mit unserem Baby ist alles okay, hat sie gesagt. Sie hat gemeint, ich kann noch bis Dezember arbeiten. Ist das nicht super!?
Was habe ich noch gemacht? Von neun bis eins habe ich gearbeitet und dann hat mich Babs zum Mittagessen eingeladen. Wir haben uns ja schon lange nicht mehr gesehen, also haben wir viel geredet (und gelacht). Nachmittags habe ich eingekauft und geübt und am Abend hatte ich Orchesterprobe. Was noch? Ach ja: Ich habe Herrn Bergmair eine Mail geschrieben. Er hat gleich angerufen. Der Küchenschrank ist fertig. Sie bringen ihn am Mittwoch.

Ich freue mich schon sooo auf Dich!
Anja

Spiel & Spaß

b Lesen Sie die E-Mails noch einmal. Markieren Sie die Perfekt-Formen und ergänzen Sie die Tabelle.

~~anrufen~~ | ~~machen~~ | sprechen | ~~telefonieren~~ | üben | denken | einladen | reden | lachen | einkaufen | arbeiten | meinen | schreiben | sehen

GRAMMATIK

Perfekt mit haben

Infinitiv	**Präsens (jetzt)**	**Perfekt (früher)** haben +	Partizip ...t	...en
machen	er/sie macht	er/es/sie hat	gemacht	
an|rufen	er/sie ruft an	er/es/sie hat		angerufen
telefonieren	er/sie telefoniert	er/es/sie hat	telefoniert	
...				

ich habe / er hat ... gehabt
= ich/er hatte

INFO

AB **6 Hast du letzten Freitag E-Mails geschrieben?**

Beruf

a Wer hat was wann gemacht? Arbeiten Sie auf Seite 92.

Spiel & Spaß

b Pantomime-Spiel: Was haben Sie letzten Freitag gemacht? Machen Sie eine Bewegung. Die anderen raten.

■ Was habe ich letzten Freitag gemacht?
▲ Hast du Freunde eingeladen?
■ Nein, ich habe keine Freunde eingeladen. / Nein, habe ich nicht.
▲ Hast du Sport gemacht?
■ Ja.

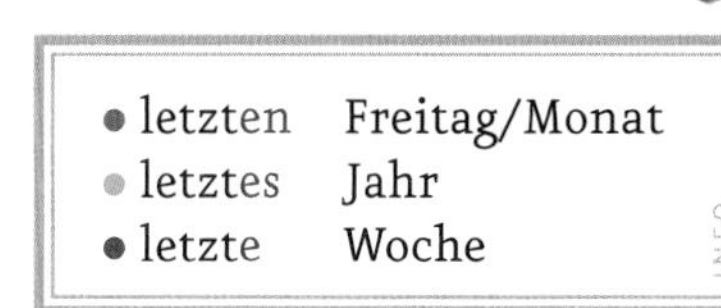

● letzten	Freitag/Monat
● letztes	Jahr
● letzte	Woche

INFO

AB **7 Eine E-Mail schreiben: Arbeiten Sie zu zweit auf Seite 96.**

Diktat

SCHREIBTRAINING

8 Was haben Sie gestern gemacht?

Film

a Machen Sie Notizen.

Hausaufgaben machen | auf¦räumen | frühstücken | fern¦sehen | schlafen | ein¦kaufen | telefonieren | arbeiten | eine Pause machen | Deutsch lernen | lesen | kochen | essen | an¦rufen | Freunde treffen/ein¦laden | im Internet surfen | Musik hören | Fußball/Tennis ... spielen | singen | malen | fotografieren | tanzen

7:00 frühstücken
9:00 ...

b Verwenden Sie die Notizen und schreiben Sie Sätze.

c Geben Sie Ihrer Partnerin / Ihrem Partner Ihre Sätze.
Sie/Er korrigiert Ihren Text (Rechtschreibung/Grammatik).

Ich habe um sieben Uhr gefrühstückt.
Von neun bis zwölf habe ich gearbeitet. ...

Audiotraining

GRAMMATIK

temporale Präpositionen von ... bis, ab	
Wann? Von 9 Uhr X ——→ X	bis 10 Uhr
Ab 9 Uhr X (jetzt) —— X (9 Uhr) ——→	

KOMMUNIKATION

über Vergangenes sprechen	
Was hast du heute / gestern / letzten Montag / letzte Woche / ... gemacht?	Von neun bis eins habe ich gearbeitet. Ich habe eine E-Mail geschrieben.

Perfekt mit haben				
Verb		**haben +**	**Partizip ...-t/-en**	
regelmäßig	machen	er/sie hat	gemacht	*auch so:* sagen – gesagt, arbeiten – gearbeitet, ...
unregelmäßig	schreiben	er/sie hat	geschrieben	*auch so:* essen – gegessen, trinken – getrunken, ...
trennbar	auf¦räumen an¦rufen	er/sie hat er/sie hat	aufgeräumt angerufen	*auch so:* einkaufen – eingekauft, ... *auch so:* einladen – eingeladen, fernsehen – ferngesehen, ...
Verben auf -ieren	telefonieren	er/sie hat	telefoniert	*auch so:* fotografieren – fotografiert, ...

Perfekt im Satz				
Aussage	Ab 9 Uhr	habe	ich	gearbeitet.
W-Frage	Was	hast	du sonst noch	gemacht?
Ja-/Nein-Frage		Hast	du Frau Dr. Weber	angerufen?

Was ist denn hier passiert? 12

Hören: Interviews

Sprechen: über Feste und Reisen sprechen: *Das Oktoberfest gibt es seit … / Er ist nach München geflogen.*

Lesen: Informationstexte

Wortfelder: Jahreszeiten, Monate

Grammatik: Perfekt mit *sein*; temporale Präposition *im*

▶ 2 18 **1 Sehen Sie das Foto an und hören Sie. Was ist hier passiert? Was meinen Sie?**

Geburtstag | Hochzeit | Silvester | Karneval …

Ich glaube, die Leute haben Geburtstag gefeiert.

2 Wann haben Sie das letzte Mal gefeiert? Erzählen Sie.

Wann? gestern | letzte Woche | letzten Monat | …
Was? Geburtstag | Hochzeit | Silvester | Karneval | …
Wo? auf der Straße | im Restaurant | zu Hause | …

■ Ich habe letzte Woche Geburtstag gefeiert.
▲ Wir haben im Restaurant gefeiert. Es hat viel Spaß gemacht. Wir haben viel getanzt und gelacht.

AB **3** **Feste und Events**

▶ 2 19 **a Was passt? Hören Sie und ordnen Sie zu.**

A ○

In der Nacht vom 31. Dezember auf den 1. Januar feiern Menschen in der ganzen Welt Silvester und Neujahr. Die größte Silvester-Open-Air-Party (mit einer Million Besuchern!) gibt es seit 1995 am Brandenburger Tor in Berlin.

B ①

Den Karneval in Köln* gibt es seit 1823. Er fängt am 11. November um 11:11 Uhr an und hört im Februar oder im März auf. Die ganz großen Karnevalsfeste sind immer an den letzten sechs Tagen.

* Karneval (auch: „Fasching" oder „Fasnacht") gibt es auch an vielen anderen Orten.

C ○

Seit 1985 gehen viele Rockmusik-Fans im Mai oder Juni zu ‚Rock am Ring'. Das Festival am Nürburgring in der Eifel dauert zwei bis drei Tage. Rund um die Uhr können die 70.000 bis 80.000 Besucher ihre Lieblingsbands hören.

D ○

Seit 1810 gibt es das Oktoberfest in München. Es ist jedes Jahr im September und Oktober und dauert ungefähr zwei Wochen. Es kommen etwa fünf bis sechs Millionen Besucher.

b Lesen Sie und notieren Sie. Hilfe finden Sie im Bildlexikon.

interessant?

Jahreszahlen
1823 → achtzehnhundertdreiundzwanzig
2014 → zweitausendvierzehn

INFO

	wo?	seit wann?	wann (Monat) / wie lange?	wie viele Besucher?
Oktoberfest	in München	seit 1810	September/Oktober, zwei Wochen	5–6 Millionen

KOMMUNIKATION

Das Oktoberfest / Der Karneval / …
ist in … / gibt es seit …
ist im September / im Herbst …
dauert … und hat … Besucher

GRAMMATIK

Wann?
im Oktober/Herbst

c Auf welches Fest möchten Sie gern gehen? Sprechen Sie.

■ Ich möchte gern Silvester in Berlin feiern. Und du?
▲ Ja, ich auch. Ich tanze gern.
● *Rock am Ring* im Mai? Das klingt interessant. Ich liebe Rockmusik.

AB **4** **Warst du schon mal in Deutschland auf einem großen Fest?**

▶ 2 20-21 **a** **Was ist richtig? Hören Sie die Interviews und kreuzen Sie an.**

noch einmal?

1 Henry ist vor drei Monaten nach Hamburg gekommen. ○
Henry ist letztes Jahr im Oktober zum Oktoberfest geflogen. ○
Er hat viele nette Leute getroffen. ○
Er möchte dieses Jahr wieder zum Oktoberfest fahren. ○

2 Carmela und Matteo studieren in Flensburg. ○
Sie waren im März bei *Rock am Ring*. ○
Das Festival hat ihnen gut gefallen. ○
Im September fahren sie nach Berlin. ○

		Wohin?
München / Deutschland	→	nach München/Deutschland fahren
die Schweiz / die Türkei	→	in die Schweiz/Türkei
der Iran	→	in den Iran

INFO

Spiel & Spaß

b **Lesen Sie die Sätze in 4a noch einmal und ergänzen Sie.**

geflogen | ist | ist | gekommen

GRAMMATIK

Perfekt mit sein		
kommen	er	___ ... ___
fliegen		___ ... ___
fahren		ist ... gefahren
gehen		ist ... gegangen

ich bin / er ist ... gewesen = ich/er war

INFO

Beruf

5 **Perfekt üben: Was hat Marc letzte Woche gemacht?**
Arbeiten Sie auf Seite 88. Ihre Partnerin / Ihr Partner arbeitet auf Seite 91.

AB **6** **Mein Top-Party-Erlebnis**

a **Schreiben Sie Stichpunkte auf einen Zettel.**

getanzt | gesungen | gefeiert | gegessen | getrunken | Musik gehört | Freunde getroffen | ...

Was?	Oktoberfest
Wo?	München
Wann?	letztes Jahr: Herbst
Wie dorthin gekommen?	geflogen
Was gemacht?	mit Freunden etwas getrunken, gesungen, ...

Diktat

b **Mischen Sie die Zettel. Jeder Teilnehmer liest einen Zettel vor. Die anderen raten: Wer hat das geschrieben?**

Meine Person war auf dem Oktoberfest in München. Das war letztes Jahr im Herbst ...

AB **7** **Besondere Aktivitäten. Hast du schon einmal ...?**
Arbeiten Sie zu zweit auf Seite 95.

MINI-PROJEKT

8 Jahreszeiten-Poster

a Machen Sie zu viert ein Jahreszeiten-Poster. Was machen Sie in dieser Jahreszeit gern?

b Präsentieren Sie Ihr Poster im Kurs.

Im Frühling fahren wir gern Fahrrad.

Audiotraining | Karaoke

GRAMMATIK

temporale Präposition im
im + Monat/Jahreszeiten: im Oktober/Herbst

Perfekt mit sein			
Verben		sein +	Partizip ...-en
unregelmäßig	gehen fliegen fahren kommen ...	er/sie ist	gegangen geflogen gefahren gekommen
trennbar	an|kommen ein|steigen ab|fahren	er/sie ist	angekommen eingestiegen abgefahren

KOMMUNIKATION

über Reisen sprechen (Vergangenheit)
Henry ist vor drei Monaten nach Deutschland/Hamburg gekommen. Letztes Jahr ist er nach München / in die Schweiz geflogen.

über Feste sprechen
Das Fest heißt ... / ist in ... / hat ... Besucher / dauert ... / gibt es seit ... Wir haben Musik gehört, getanzt und viele nette Leute getroffen.

Unterwegs

Der Reise-Blog von Anja Ebner

UNTERWEGS

LINKS

ÜBER MICH

Sommer in Süditalien

Michael und ich am Gardasee

Mein Frühlingswochenende am Rhein

Orchesterwochenende in Luzern

Michael und ich in New York

Wales und Schottland

Sommer in Kühlungsborn

Winter mit Michi in Helsinki

Drei Monate auf Java und Borneo

Freitag, 12. April / 22:15 Uhr: Um 12 Uhr bin ich losgefahren. Es war nicht viel Verkehr. Schon um 15 Uhr war ich in meinem Hotel in Speyer. Danach bin ich gleich losgegangen. Die Stadt ist über 2000 Jahre alt! Am Abend war ich in einem Restaurant und habe „Pfälzer Saumagen" gegessen. Das ist eine Spezialität hier: Schweinefleisch mit Kartoffeln. Dazu ein Glas Pfälzer Wein. Sehr, sehr lecker!

Speyer: Maximilianstraße und Dom

1 Kommentar / Kommentar schreiben

Speyerfan_92: Hallo Anja! In Speyer war ich letztes Jahr auch. Hast du das „Technik Museum Speyer" gesehen? Das ist total interessant. LG, Pit

Auf Kommentar antworten

Samstag, 13. April / 15:30 Uhr: Ich habe bis 10 Uhr geschlafen. Dann habe ich gefrühstückt und bin am Mittag nach Mannheim gefahren. Viele Leute mögen die Stadt nicht so. Ich finde Mannheim super. Ich mag auch die „Söhne Mannheims" und Xavier Naidoo. So, jetzt kaufe ich noch ein bisschen ein und heute Abend gehe ich in ein Konzert oder zum Tanzen in einen Club. Mal sehen.

Mannheim: Wasserturm mit Park

0 Kommentare / Kommentar schreiben

Sonntag, 14. April / 10:30 Uhr: Gestern war ich tanzen. Die Musik war toll und die Leute waren sehr nett. Ich habe einen Tipp bekommen: Im Schlosspark von Schwetzingen blühen die Kirschbäume. Das möchte ich sehen, also los!

Sonntag, 14. April / 12 Uhr: Der Tipp war super! So viel Rosa habe ich noch nie gesehen. Ich möchte noch nicht nach Hause fahren. Aber leider ist das Wochenende schon fast vorbei. Wie schade! ☹

Schwetzingen: Kirschbäume im Schlossgarten

0 Kommentare / Kommentar schreiben

1 Welcher Link passt? Lesen Sie die Texte und markieren Sie den passenden Link.

2 Was hat Anja wann gemacht? Lesen Sie noch einmal und ergänzen Sie die Wochentage.

Freitag

____

____

____

____

▶ Clip 10 **1 Mein Weg ins Büro – Was ist richtig? Sehen Sie die Reportage und kreuzen Sie an.**

a Hanna wohnt in Weßling. ○
b Sie arbeitet in Weßling. ○
c Sie hat kein Auto. ○
d Sie steigt in Weßling in die S-Bahn ein. ○
e Am Hauptbahnhof steigt sie um. ○
f Um Viertel vor acht kommt sie im Büro an. ○

▶ Clip 11 **2 Martins Tag – Sehen Sie das Videotagebuch, ordnen Sie zu und erzählen Sie dann.**

aufräumen und sauber machen | einen Spaziergang machen | frühstücken und Zeitung lesen | zu Abend essen | kochen | schlafen | Silvia anrufen | Silvia im Rosengarten treffen | Jenga spielen

bis 9:30 Uhr: ______
bis 10:00 Uhr: *Croissants backen, Zeitung holen, Kaffee machen*
von 10:00 Uhr bis 11:00 Uhr: ______
von 11:00 Uhr bis 13:00 Uhr: ______
um 13:00 Uhr: ______
um 14:00 Uhr: ______
von 14:00 Uhr bis 16:30 Uhr: ______
von 16:30 Uhr bis 18:00 Uhr: *reden, Wasser trinken, einkaufen*
von 18:00 Uhr bis 18:30 Uhr: ______
um 18.30 Uhr: ______
von 19:00 Uhr bis 21:00 Uhr: ______

Gestern hat Martin bis halb zehn geschlafen. Dann …

▶ Clip 12 **3 Das war so schön! – Sehen Sie die Diashow und ergänzen Sie.**

am Freitag | Annas Geburtstagsfeier | Betriebsfeier | Faschingsfest | Führerscheinprüfung geschafft | ~~im Winter vor 20 Jahren~~ | in der Firma | langweilig | lustig | Leipzig | letzten Mai | Österreich | toll | vor einem Jahr

Ⓐ 

Ⓑ 

Ⓒ 

Ⓓ 

	Ⓐ	Ⓑ	Ⓒ	Ⓓ
Welches Fest?				
Wo?				———
Wann?	*im Winter vor 20 Jahren*			
Wie war es?				———

1 Öffentliche Verkehrsmittel in Zürich: Was ist richtig?

Lesen Sie die Touristeninformation und kreuzen Sie an.

Unterwegs in Zürich

Die Stadt Zürich hat ein sehr gutes öffentliches Verkehrsnetz. Viele Zürcher fahren nicht mit dem Auto oder dem Velo, sie fahren mit Bus und Tram. Die öffentlichen Verkehrsmittel sind praktisch und schnell und fahren sehr oft.*

Tipps für Touristen: Fahren auch Sie mit öffentlichen Verkehrsmitteln. Mit Bussen, Trams, S-Bahnen oder Wassertaxis können Sie Zürich einfach, bequem und schnell besichtigen. Die Wassertaxis fahren über die Limmat. So können Sie auf der Fahrt Zürich vom Wasser aus besichtigen. Möchten Sie Zürich lieber von oben sehen? Dann nehmen Sie doch eine der vier Bergbahnen und genießen Sie die tolle Aussicht auf die Stadt.

*CH: Velo = Fahrrad

a In Zürich nehmen wenige Menschen die öffentlichen Verkehrsmittel. ○
b Touristen können Zürich gut mit öffentlichen Verkehrsmitteln besichtigen. ○
c Die Bergbahnen fahren über die Limmat. ○

2 Ein Tag als Tourist in Zürich

a Sie sind am Hauptbahnhof in Zürich, möchten die Stadt besichtigen und dabei alle öffentlichen Verkehrsmittel nehmen. Suchen Sie Informationen im Internet und planen Sie Ihren Tag.

Verkehrsmittel: Bus, S-Bahn, Tram, Wassertaxi, Bergbahn

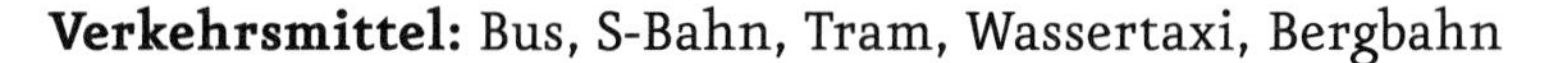

Sie fahren: zum Zoo, zum Botanischen Garten, zum Schweizerischen Landesmuseum, zum Museum Rietberg

Recherchieren Sie im Internet:
- Wo sind die Sehenswürdigkeiten?
- Wie kommen Sie dorthin? Welche Verkehrsmittel können Sie nehmen? Suchen Sie auch auf der Website der Verkehrsbetriebe Zürich (VBZ).

Planen Sie dann:
- In welcher Reihenfolge wollen Sie die Sehenswürdigkeiten besuchen?
- Wie lange dauern die Fahrten?

b Machen Sie ein Plakat und erzählen Sie im Kurs von Ihrem Tag.

Unser Tag in Zürich
1) Botanischer Garten (Tram/Bus, 15 Minuten)
2) ...

KOMMUNIKATION

Erst haben wir den Bus / ... genommen und sind zum/zur ... gefahren.
Das hat ... Minuten gedauert.
Dann haben wir die S-Bahn / ... genommen und sind ...

PARTY MAX

Die Woche ist mal wieder nicht so toll gewesen:
Von morgens bis abends nur Arbeit und Stress.
Doch jetzt ist Freitag und wir wissen:
Heute Abend haben wir die Woche schon vergessen.

Tschüs, bis heute Abend. Wir machen wieder ________.
Und DJ PartyMax bringt seine Hits ________.
Er nimmt uns alle mit, er lädt uns alle ________ und alle sagen: „Danke Max!" und steigen wieder ________.

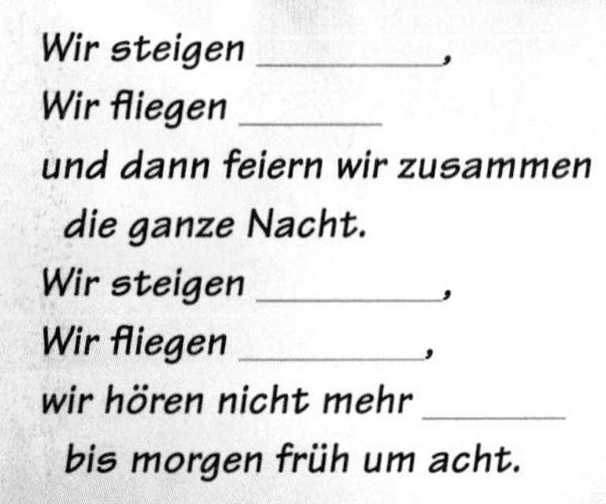

Wir steigen ________,
Wir fliegen ________
und dann feiern wir zusammen die ganze Nacht.
Wir steigen ________,
Wir fliegen ________,
wir hören nicht mehr ________
bis morgen früh um acht.

Wir steigen ________,
Wir fahren ________
und dann feiern wir zusammen die ganze Nacht.
Wir steigen ________,
Wir fahren ________,
wir hören nicht mehr ________
bis morgen früh um acht.

▶ 2 22 **1 Lesen Sie den Liedtext und ergänzen Sie. Hören Sie dann und vergleichen Sie.**

ein | auf | ab | ein | auf | ein | mit | ein | ab | mit | ein | ab | mit | ab | ein

▶ 2 22 **2 Hören Sie noch einmal und singen Sie mit.**

3 Ihre Musik

a Zu welcher Musik tanzen Sie gern? Bilden Sie Gruppen.

zu Rockmusik | zu Popmusik | zu Techno | zu House | zu Reggae | zu Punk | zu Ska | zu Swing | zu Salsa | …

b Sprechen Sie in Ihren Gruppen.

- Wo tanzen Sie?
- Wann und wie oft tanzen Sie?
- Wie heißt Ihre Lieblingsband?

KB | S. 11 Lektion 1 6b

du oder *Sie?*
Würfeln Sie, fragen und antworten Sie.

Ⓐ

= **informell: *du***

- ■ Wie heißt du?
- ▲ Ich heiße Ewa.
- ■ Woher kommst du, Ewa?
- ▲ Ich komme aus …

Ⓑ

= **formell: *Sie***

- ■ Wie heißen Sie?
- ▲ Ich heiße Ewa Kowska.
- ■ Woher kommen Sie, Frau Kowska?
- ▲ Ich komme aus …

KB | S. 11 Lektion 1 8

Nach dem Befinden fragen: Schreiben Sie Namensschilder und sprechen Sie.

Ⓐ **Sie sind auf einer Konferenz.**
Vorname und Familienname →
Sagen Sie *Sie!*

- ■ Guten Tag, Frau Riemann.
  Wie geht es Ihnen?
- ▲ Danke, gut. Und Ihnen?
- ■ Auch gut.

Ⓑ **Sie sind auf einer Party.**
Vorname →
Sagen Sie *du!*

- ■ Hallo, Nathalie! Wie geht's?
- ▲ Sehr gut, und dir?
- ■ Es geht.

KB | S. 15 Lektion 2 4b

Zahlen üben: Machen Sie Zahlenreihen.

Variante: Machen Sie Rätsel. Welche Zahl fehlt?

- ■ 2 – 4 – 6 – …
- ▲ 10
- ■ Falsch. 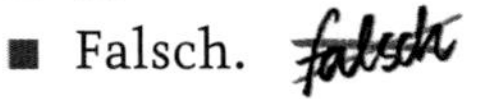

- ▲ 8
- ■ Richtig. ✓richtig

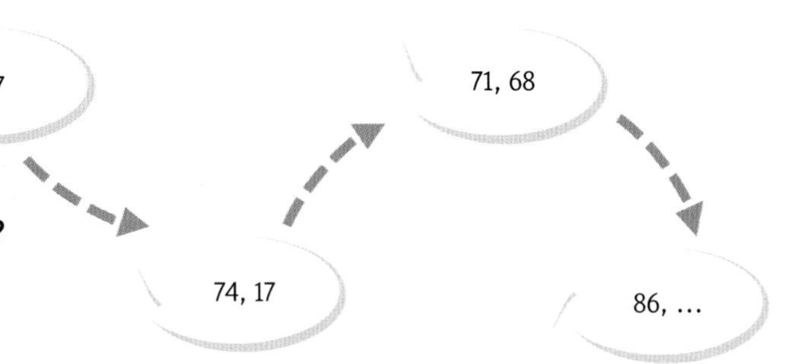

KB | S. 15 Lektion 2 3d

Was haben Sie gemeinsam?

- Überlegen Sie mit Ihrer Partnerin / Ihrem Partner: In welcher deutschen Stadt wohnen Sie? Was arbeiten Sie?
- Fragen Sie jetzt die anderen Paare im Kurs. Hat jemand etwas mit Ihnen gemeinsam?

KOMMUNIKATION

Wo wohnt ihr? Wir wohnen in ...
Was arbeitet ihr? Wir arbeiten als ...

KB | S. 14 Lektion 2 2d

Ein Internet-Profil schreiben

a Ergänzen Sie Ihr Internet-Profil.

Name: ______________________

Ausbildung und Beruf
Schule: ______________________
Hochschule/Universität: ______________________
Arbeitgeber: ______________________
Stelle: ______________________

b Arbeiten Sie zu zweit. Ergänzen Sie das Profil für Ihre Partnerin / Ihren Partner.

Name: ______________________

Ausbildung und Beruf
Schule: ______________________
Hochschule/Universität: ______________________
Arbeitgeber: ______________________
Stelle: ______________________

Was machst du beruflich?

KB | S. 11 

Bekannte Persönlichkeiten

Partner A

Wer ist das? Und woher kommt er/sie?
Fragen Sie Ihre Partnerin / Ihren Partner und ergänzen Sie die fehlenden Informationen.

- ■ Wer ist das?
- ▲ Das ist Angela Merkel. Woher kommt sie?
- ■ Sie kommt aus Deutschland.

	Name	kommt aus ...
a	Angela Merkel	
b		Österreich
c	Johann Wolfgang von Goethe	
d		Ägypten
e	Agatha Christie	
f		Indien
g	Pablo Picasso	

Auflösung zu Seite 20:

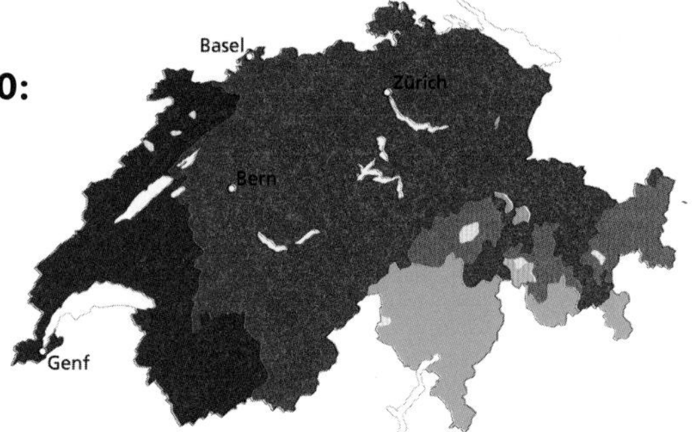

KB | S. 18 **Lektion 3 4b**

Wie gut kennen Sie die Personen in *Menschen*?

a Sehen Sie die Fotos an. Schreiben Sie 8 bis 10 W-Fragen zu den Personen auf Karten.

Wo arbeitet Sven?

Woher kommt Barbara?

Wer ...?

W... ?

b

1 Mischen Sie die Karten und legen Sie sie auf einen Stapel.

2 Person A zieht eine Karte und beantwortet die Frage.

3 Ist die Antwort richtig? Person A behält die Karte.

4 Ist die Antwort falsch? Die Karte kommt wieder unter den Stapel.

5 Jetzt ist Person B an der Reihe.

6 Gewonnen hat die Person mit den meisten Karten.

KB | S. 18 **Lektion 3 5b**

ja – nein – doch üben

a Schreiben Sie einen Steckbrief zu einem Familienmitglied, Freund oder Kollegen. Machen Sie zwei falsche Angaben.

STECKBRIEF

Name: ______ Wohnort: ______
Herkunft: ______ Beruf: ______
Familienstand: ______ Alter: ______

b Ihre Partnerin / Ihr Partner fragt und sucht die falschen Angaben.
Würfeln Sie eine 1, 3 oder 5: Fragen Sie so:

■ Ist dein Bruder verheiratet?

▲ Ja, mein Bruder ist verheiratet. ▲ Nein, mein Bruder ist nicht verheiratet.

Würfeln Sie eine 2, 4 oder 6: Fragen Sie mit *nicht*:

■ Dein Bruder ist nicht verheiratet, oder?

▲ Doch, mein Bruder ist verheiratet. ▲ Ja, genau. Mein Bruder ist nicht verheiratet.

KB | S. 11 Lektion 1 6d

Bekannte Persönlichkeiten

Partner B

Wer ist das? Und woher kommt er/sie?
Fragen Sie Ihre Partnerin / Ihren Partner und ergänzen Sie die fehlenden Informationen.

■ Wer ist das?
▲ Das ist Angela Merkel. Woher kommt sie?
■ Sie kommt aus Deutschland.

	Name	kommt aus ...
a	Angela Merkel	Deutschland
b	Wolfgang Amadeus Mozart	
c		Deutschland
d	Cleopatra	
e		Großbritannien
f	Mahatma Gandhi	
g		Spanien

 6

Stellen Sie andere Personen vor.

Partner A

a Lesen Sie Ihrer Partnerin / Ihrem Partner die Texte vor.
Verstehen Sie ein Wort nicht? Hilfe finden Sie im Bildlexikon oder im Wörterbuch.

Sonja Wilkens ist Krankenschwester und 32 Jahre alt. Sie ist nicht verheiratet und hat ein Kind. Sie wohnt in Leipzig.

Bo Martinson kommt aus Schweden und wohnt in Essen. Er ist 50, hat zwei Kinder und ist verheiratet. Er arbeitet als Ingenieur.

Peter und Franziska sind 28 und 25 Jahre alt. Sie sind nicht verheiratet, aber sie leben zusammen in Wolfsburg. Sie arbeiten bei VW und haben keine Kinder.

b Ihre Partnerin / Ihr Partner liest Ihnen nun drei Texte vor.
Hören Sie und kreuzen Sie an: richtig oder falsch?

	richtig	falsch
1 Helga Stiemer ist 69.	○	○
2 Sie ist arbeitslos.	○	○
3 Sie ist verheiratet.	○	○
4 Sie hat zwei Kinder.	○	○
5 Sie wohnt in München.	○	○
6 Carlos kommt aus Portugal.	○	○
7 Er ist 32 Jahre alt.	○	○
8 Er studiert in Kiel.	○	○
9 Er ist verheiratet.	○	○
10 Er hat keine Kinder.	○	○
11 Astrid und Norbert sind geschieden.	○	○
12 Norbert und die Kinder leben in Hamburg.	○	○
13 Sie leben zusammen.	○	○
14 Astrid ist 32 und Norbert ist 37.	○	○

Variante:
Machen Sie zu zweit ähnliche Aufgaben und arbeiten Sie mit einem anderen Paar zusammen.

KB | S. 27 **Lektion 4 6b**

Nach Preisen fragen und Preise nennen

a Sie haben ein Möbelhaus.
Was kostet bei Ihnen der Tisch, der Stuhl ...? Notieren Sie die Preise.

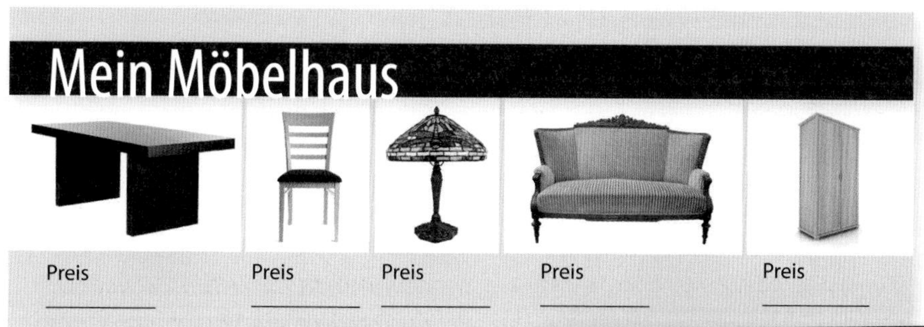

b Was kosten die Möbel bei Ihrer Partnerin / Ihrem Partner? Fragen Sie und notieren Sie die Preise.

- ■ Was kostet denn der Tisch / die Lampe / ...?
- ▲ Der Tisch / Die ... kostet ... (Das ist ein Sonderangebot.)
- ■ ... Euro? Das ist aber (sehr) teuer/günstig.

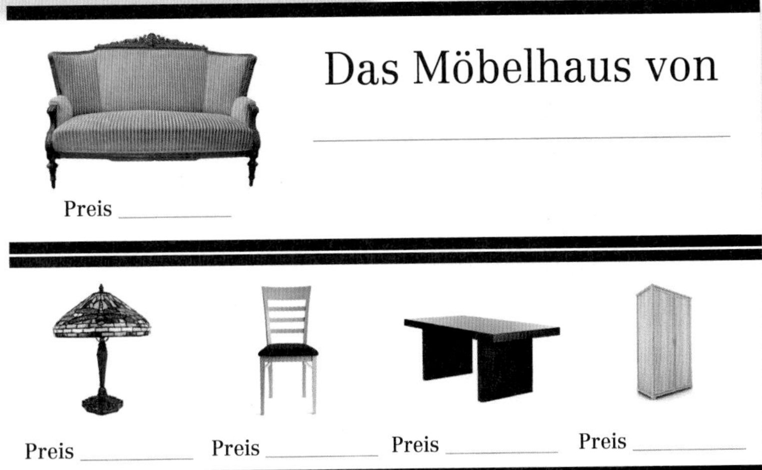

KB | S. 27 **Lektion 4 7b**

Puzzle: Was kostet der Schrank?

Setzen Sie das Puzzle zusammen. Vergleichen Sie dann mit Ihrer Partnerin / Ihrem Partner.

- ■ Der Schrank kostet 79,90 Euro, oder?
- ▲ Ja, er kostet 79,90 Euro.

KB | S. 27 **Lektion 4 | 9**

Etwas bewerten

Wie finden Sie die Hotelzimmer? Sprechen Sie.

schön | hässlich | (nicht mehr) modern | praktisch | groß | klein | ...

■ Wie findest du Zimmer A?
▲ Ich finde Zimmer A schön. Das Bett ist modern und der Schrank ist praktisch.

■ 🙂 Das finde ich auch.

■ ☹ Das finde ich nicht.
Der Schrank in Zimmer A ist zu groß.

KB | S. 46 **Lektion 8 | 5b**

Uhrzeiten

Zeichnen Sie fünf Uhrzeiten und sprechen Sie.

■ Wie spät ist es? / Wie viel Uhr ist es?
▲ Es ist halb sechs / siebzehn Uhr dreißig.

Variante:
„Schreiben" Sie Uhrzeiten auf den Rücken Ihrer Partnerin / Ihres Partners. Wie spät ist es?

■ Wie spät ist es? / Wie viel Uhr ist es?
▲ Es ist Viertel vor drei / vierzehn Uhr fünfundvierzig.
■ Ja, genau.

KB | S. 43 Lektion 7 | 9

Aktivitäten-Bingo

Wer macht was wie oft?
Suchen Sie Personen im Kurs und notieren Sie die Namen. Wer hat zuerst fünf Personen?

Möglichkeit 1: senkrecht

Möglichkeit 2: waagerecht

Möglichkeit 3: diagonal

■ Spielst du sehr oft Fußball?
▲ Ja, ich spiele sehr oft Fußball.
● Nein, ich spiele nur manchmal Fußball.

▲ Wie oft schwimmst du?
■ Ich schwimme fast nie.

sehr oft	oft	manchmal	fast nie	nie
schwimmen	tanzen	lesen	Ski fahren	singen
Fußball spielen	E-Mails schreiben	kochen	Musik hören	Auto fahren
Freunde treffen	spazieren gehen	fotografieren	malen	rauchen
Rad fahren	Musik machen	Ausflüge machen	Gitarre spielen	im Internet surfen
Tennis spielen	telefonieren	Schach spielen	Freunde besuchen	Radio hören

Stellen Sie andere Personen vor.

Partner B

a **Ihre Partnerin / Ihr Partner liest Ihnen drei Texte vor. Hören Sie und kreuzen Sie an: richtig oder falsch?**

		richtig	falsch
1	Sonja Wilkens ist Krankenschwester.	○	○
2	Sie ist 33 Jahre alt.	○	○
3	Sie ist verheiratet.	○	○
4	Sie hat keine Kinder.	○	○
5	Sie wohnt in Leipzig.	○	○
6	Bo Martinson kommt aus Norwegen.	○	○
7	Er wohnt in Essen.	○	○
8	Er ist 51 Jahre alt.	○	○
9	Er hat drei Kinder.	○	○
10	Er arbeitet als Journalist.	○	○
11	Peter und Franziska sind 28 und 27.	○	○
12	Sie sind geschieden.	○	○
13	Sie wohnen in Wolfsburg.	○	○
14	Sie arbeiten bei VW.	○	○
15	Sie haben zwei Kinder.	○	○

b **Lesen Sie nun Ihrer Partnerin / Ihrem Partner die Texte vor. Verstehen Sie ein Wort nicht? Hilfe finden Sie im Bildlexikon oder im Wörterbuch.**

Helga Stiemer ist 67 und Rentnerin. Sie ist verheiratet und hat drei Kinder. Sie wohnt in München.

Carlos kommt aus Spanien und wohnt in Kiel. Er ist 23 Jahre alt und studiert an der Universität. Er ist nicht verheiratet und hat keine Kinder.

Astrid und Norbert sind nicht verheiratet, sie sind geschieden. Astrid lebt in Hannover und Norbert und die Kinder leben in Hamburg. Astrid ist 32 und Norbert ist 37 Jahre alt.

Variante:
Machen Sie zu zweit ähnliche Aufgaben und arbeiten Sie mit einem anderen Paar zusammen.

KB | S. 35

Lektion 6 | 6c

der Stuhl – die Stühle

Finden Sie die Unterschiede auf den zwei Bildern und sprechen Sie mit Ihrer Partnerin / Ihrem Partner.

- ■ Auf Bild A sind drei Stühle. Auf Bild B sind nur zwei Stühle.
- ▲ Ja, und auf Bild A ...

KB | S. 42

Lektion 7 | 6b

Wer kann was?

Partner A

Fragen Sie Ihre Partnerin / Ihren Partner und ergänzen Sie. Verstehen Sie ein Wort nicht? Sehen Sie im Bildlexikon nach.

- ■ Können Felix und Katja kochen?
- ▲ Ja, Felix und Katja können super kochen.

	Leo	Felix und Katja	Josefine	Frau Lehmann	Ich	Meine Partnerin / Mein Partner
kochen	nicht so gut	super	toll	gar nicht		
singen		nicht		sehr gut		
malen	gar nicht					
Schach spielen			gar nicht			
Ski fahren		nicht	super			
Fußball spielen	sehr gut	toll				
backen		gut	ein bisschen	nicht		
Gitarre spielen	gut			gut		

KB | S. 31 **Lektion 5** **5**

Kurs-Auktion: Produkte beschreiben

a Lesen Sie die Produktinformation und ergänzen Sie.

eckig | Plastik | rot

b Was möchten Sie „versteigern"?
Wählen Sie im Kursraum einen Gegenstand und notieren Sie wichtige Informationen.

c Spielen Sie die Auktion:
Beschreiben Sie „Ihr" Produkt, die anderen bieten. Wer bietet am meisten?

■ Hier: eine super Kette! Sie ist aus Plastik und sehr leicht! Sie ist rot und sehr modern. Der Startpreis ist nur 1 Euro!
▲ Ich biete 1 Euro 50!
● Und ich biete 3 Euro!
■ Anja bekommt die Kette für 3 Euro!

KOMMUNIKATION

Hier: ein/eine super ...! / Hier ist ...!
Er/Es/Sie ist aus ... *(Material)*
Er/Es/Sie ist (extrem/sehr) ... *(Form/Farbe/Eigenschaft: schön, modern ...)*
Der Startpreis ist (nur) ... Euro.

KB | S. 31 **Lektion 5 | 6d**

Nach Wörtern fragen

a Wählen Sie eine Rolle und sprechen Sie.

A	B
Wählen Sie einen Gegenstand. Fragen Sie Ihre Partnerin / Ihren Partner: Wie heißt das auf Deutsch?	Sehen Sie im Wörterbuch nach und antworten Sie.

■ Entschuldigung. Wie heißt das auf Deutsch?

▲ Das ist ein Ring.

■ Wie bitte? / Noch einmal, bitte.

▲ Das ist ein Ring.

■ Wie schreibt man Ring?

▲ R-I-N-G.

■ Danke.

▲ Bitteschön. / Bitte. (Gern.) / Kein Problem.

So sprechen Sie das Wort:

der **Ring** [rɪŋ]; -[e]s, -e: **1.** *gleichmäßig runder, in sich geschlossener Gegenstand in der Form eines Kreises:* einen goldenen Ring am Finger tragen. *Zus.:* Armring, Dichtungsring, Fingerring, Gardinenring, Goldring, Gummiring, Metallring, Ohrring, Schlüsselring, Silberring.

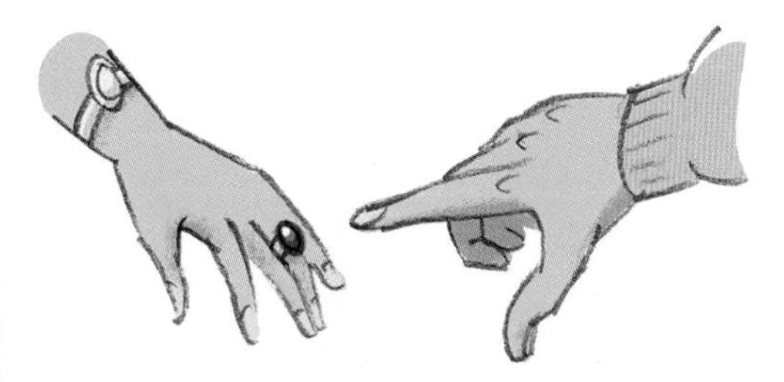

b Tauschen Sie die Rollen.

KB | S. 42 **Lektion 7** 6b

Wer kann was?

Partner B

Fragen Sie Ihre Partnerin / Ihren Partner und ergänzen Sie.
Verstehen Sie ein Wort nicht? Sehen Sie im Bildlexikon nach.

■ Kann Leo kochen?
▲ Nein, Leo kann nicht so gut kochen.

	Leo	Felix und Katja	Josefine	Frau Lehmann	Ich	Meine Partnerin / Mein Partner
kochen	nicht so gut	super				
singen	super		sehr gut			
malen		gar nicht	super	ein bisschen		
Schach spielen	ein bisschen	gut		super		
Ski fahren	toll			nicht		
Fußball spielen			nicht	toll		
backen	nicht					
Gitarre spielen		nicht so gut	gar nicht			

KB | S. 47 **Lektion 8** | 6c

Verabreden Sie sich im Chat.
Schreiben Sie zu zweit einen Chat. Ergänzen Sie auch Ihren Profilnamen.

_______: Was machst du _______________?

_______: Das weiß _______________ nicht.

_______: Lust auf _______________?

_______: Nöö. Keine _______________.

_______: Gehen _______________?

_______: _______! Wann _______________?

_______: Um _______________?

_______: Okay. Dann bis _______________?

_______: Ja, _______________?

Variante:
Schreiben Sie zu zweit einen eigenen Chat.

KB | S. 59 **Lektion 10 | 6**

Wann kommst du an?

Partner A

a **Fragen Sie Ihre Partnerin / Ihren Partner und notieren Sie die Antworten. Achten Sie auf die richtige Satzstellung.**

■ Wann kommst du an?
▲ Ich komme um 12 Uhr 45 an.

1 ankommen – wann – du — Um 12:45 Uhr.
2 wo – der Zug – abfahren — Auf Gleis ___.
3 mich – anrufen – wann – du — Heute ________.
4 aussteigen – wo – wir — Am ____________________.
5 einkaufen – ihr – was — ________ und ________.

b **Ihre Partnerin / Ihr Partner stellt jetzt Fragen. Suchen Sie die passende Antwort.**

■ Wo steigst du ein?
▲ Ich steige auf Gleis 10 ein.

um 11:30 Uhr – ankommen – der Zug

einsteigen – ich – auf Gleis 10

er – in – aussteigen – München

einkaufen – ich – Obst – Brot – und

fernsehen – wir – Abend – heute – um 20 Uhr

KB | S. 67 **Lektion 12 | 5**

Marc feiert gern! Was hat er letzte Woche gemacht?

Partner A

Fragen Sie Ihre Partnerin / Ihren Partner und ergänzen Sie die fehlenden Informationen.

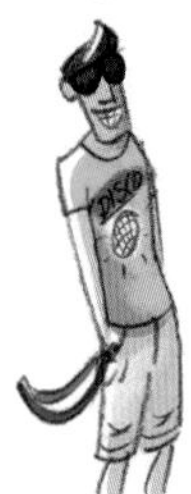

Montag	Dienstag	Mittwoch	Donnerstag	Freitag	Samstag	Sonntag
19:00 Geburtstag (Köln / Taxi fahren)		18:00 Abschiedsparty (Wien / Bus fahren)	20:00 Konzert (Berlin / Zug fahren)		16:00 Hochzeit (Türkei / fliegen)	

■ Wo war Marc am ...?
▲ Am ... war er in der Türkei / in Köln / ...
■ Was hat er dort gemacht?
▲ Er ist in ein Konzert gegangen / hat Geburtstag gefeiert / ...
■ Wie ist er in die ... / nach ... gekommen?
▲ Er ist geflogen / Auto/Taxi gefahren / ...

KB | S. 47 **Lektion 8** 7c

Sich verabreden

Partner A

Verabreden Sie sich für eine Stunde mit Ihrer Partnerin / Ihrem Partner.
Was wollen Sie machen und wann treffen Sie sich?

	Montag	Dienstag	Mittwoch	Donnerstag	Freitag	Samstag	Sonntag
8:00							
9:00							
10:00							
11:00			Ausstellung (Chris)				
12:00	Uni		Schwimmbad/ Sauna		Uni		
13:00							
14:00		Uni					
15:00						Ausflug an die Nordsee	Berlin: Oma Geburtstag 70!!!
16:00				Uni			
17:00							
18:00							
19:00			jobben im Café		jobben im Café		
20:00		Fußball					
21:00							
22:00							
23:00							
24:00							

- ■ Vielleicht können wir mal wieder ins Café gehen? →
- ▲ Ja, gern. / Ja, gute Idee!
- ■ Hast du am Montag Zeit? →
- ▲ Wann denn?
- ■ Am Abend um 19 Uhr? →
- ▲ Nein, leider nicht. Am Montagabend gehe ich mit Sonja ins Kino.
- ■ Und am …? →
- ▲ Ja, am … habe ich Zeit.
- ■ Schön, dann bis … →
- ▲ Ja, bis dann.

Möchten Sie noch etwas ...?

a Planen Sie gemeinsam.

- Wer sind Sie? Sind Sie Kollegen, Nachbarn, Freunde, ...?
- Wer lädt ein? Wer ist der Gast?
- Was kochen Sie?
- Was schenkt der Gast?

Gast: Jutta (Kollegin)
Vorspeise: Eiersalat
Hauptgericht: Fisch mit Zwiebeln
Dessert: Zitroneneis
Gast schenkt: Schokolade

b Spielen Sie kleine Szenen.

■ Bitte sehr.

▲ Oh, vielen Dank. / Herzlichen Dank. / Danke schön.

■ Was ist das?

▲ Das ist ... Mögen Sie ...? / Essen Sie ... gern?

■ Ich weiß nicht.
... kenne ich nicht. /
Ja, sehr gern. /
Ja, ... ist mein Lieblingsessen.

▲ Guten Appetit.

■ Danke, gleichfalls/ebenfalls.
... schmeckt sehr gut.

▲ Danke schön. / Möchten Sie noch etwas ...?

■ Ja, gern. / Oh ja, bitte. /
Nein, danke.

▲ Möchten Sie einen Kaffee / ...?

■ Oh ja, gern. / Ja, bitte. /
Nein, danke.

KB | S. 67 **Lektion 12 | 5**

Marc feiert gern! Was hat er letzte Woche gemacht?

Partner B

Fragen Sie Ihre Partnerin / Ihren Partner und ergänzen Sie die fehlenden Informationen.

Montag	Dienstag	Mittwoch	Donnerstag	Freitag	Samstag	Sonntag
	19:30 Konzert (Schweiz / fliegen)			21:00 Einweihungsparty (Hamburg / mit André fahren)		15:00 Oma Geburtstag (Bonn / Auto fahren)

- ■ Wo war Marc am ...?
- ▲ Am ... war er in der Türkei / in Köln / ...
- ■ Was hat er dort gemacht?
- ▲ Er ist in ein Konzert gegangen / hat Geburtstag gefeiert / ...
- ■ Wie ist er in die ... / nach ... gekommen?
- ▲ Er ist geflogen / Auto/Taxi gefahren / ...

KB | S. 59 **Lektion 10 | 9**

Würfelspiel: Wo steigst du um?

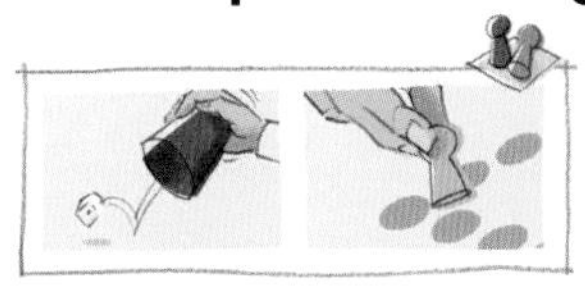

Würfeln Sie und ziehen Sie mit Ihrer Spielfigur. Machen Sie einen Satz. Die anderen überprüfen. Ist der Satz richtig, bekommen Sie einen Punkt. Spielen Sie 10 Minuten. Wer hat die meisten Punkte?

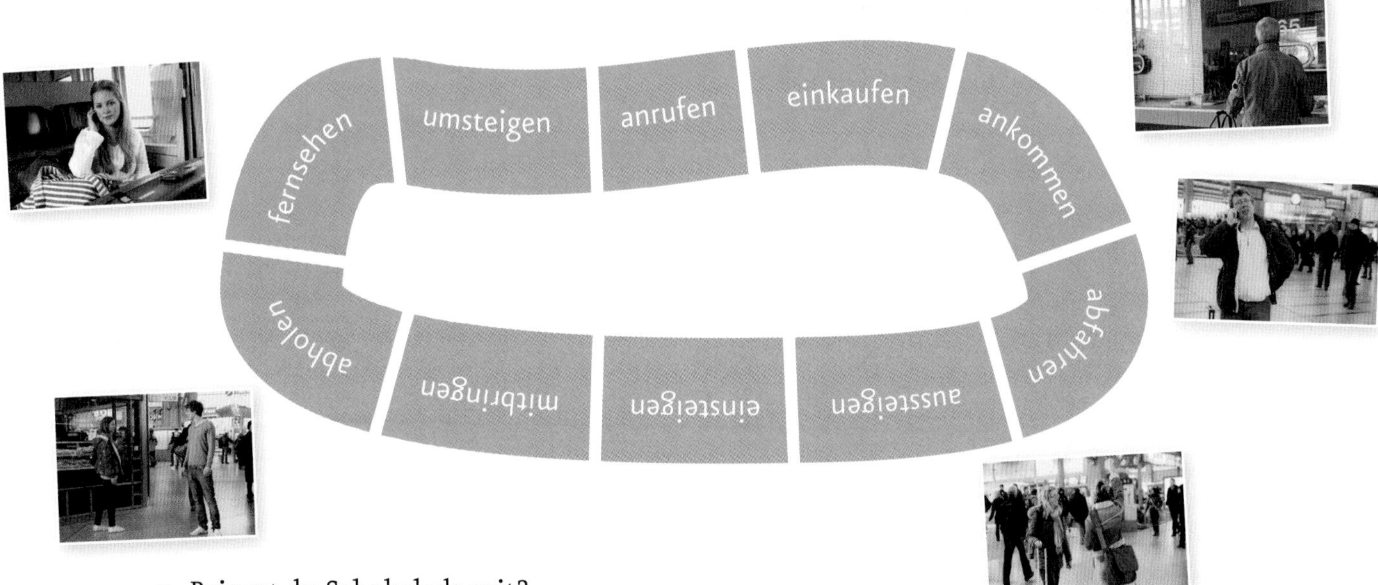

- ■ Bringst du Schokolade mit?
- ▲ Gut, der Satz ist richtig. Du bekommst einen Punkt.

Aktivitäten-Bingo

a **Lesen Sie den Fragebogen in b und notieren Sie die richtige Perfektform. Sehen Sie im Wörterbuch nach.**

Perfekt im Wörterbuch

le|sen ['le:zn̩], liest, las, gelesen (tr.; hat; etw. l.): **1.** *einen Text mit den Augen und dem Verstand erfassen:* ein Buch, einen Brief, Zeitung lesen; (auch itr.) in einem Lexikon lesen.

frühstücken gefrühstückt
essen ______
lesen ______
fernsehen ______
…

b **Wer hat was wann gemacht?**
Suchen Sie Personen im Kurs und notieren Sie die Namen. Wer hat zuerst fünf Personen?

Variante 1: senkrecht 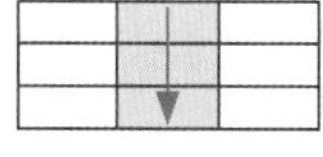

Variante 2: waagerecht 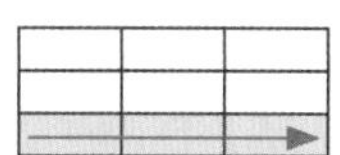

Variante 3: diagonal 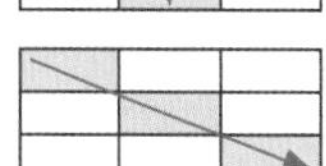

gestern	letzten Freitag	letzten Samstag	letzten Sonntag	letzte Woche
lange frühstücken	bei Freunden essen	Zeitung lesen	fern|sehen	Kuchen essen
Fußball spielen	E-Mails schreiben	Mittagessen kochen	Musik hören	ein|kaufen
lange schlafen	auf|räumen	einen Film sehen	keinen Kaffee trinken	Deutsch lernen
nicht arbeiten	Frühstück machen	nicht frühstücken	eine Freundin an|rufen	im Internet surfen
ein Buch lesen	keine Mittagspause machen	Hausaufgaben machen	Freunde ein|laden	ein Geschenk kaufen

■ Hast du letzten Freitag E-Mails geschrieben?
▲ Ja, ich habe letzten Freitag E-Mails geschrieben.
● Nein, letzten Freitag habe ich keine E-Mails geschrieben.

■ Hast du letzten Sonntag keinen Kaffee getrunken?
▲ Doch, ich trinke am Sonntag immer Kaffee.

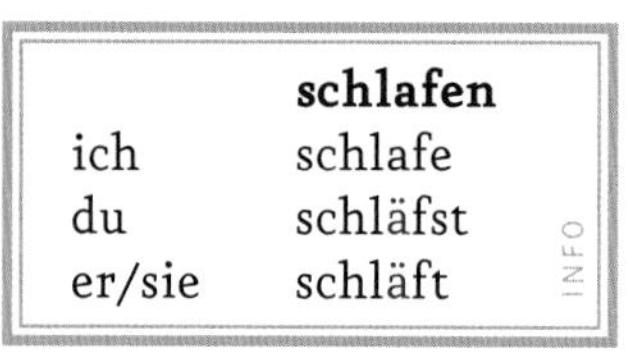

	schlafen
ich	schlafe
du	schläfst
er/sie	schläft

INFO

KB | S. 47 **Lektion 8** 7c

Sich verabreden

Partner B

Verabreden Sie sich für eine Stunde mit Ihrer Partnerin / Ihrem Partner. Was wollen Sie machen und wann treffen Sie sich?

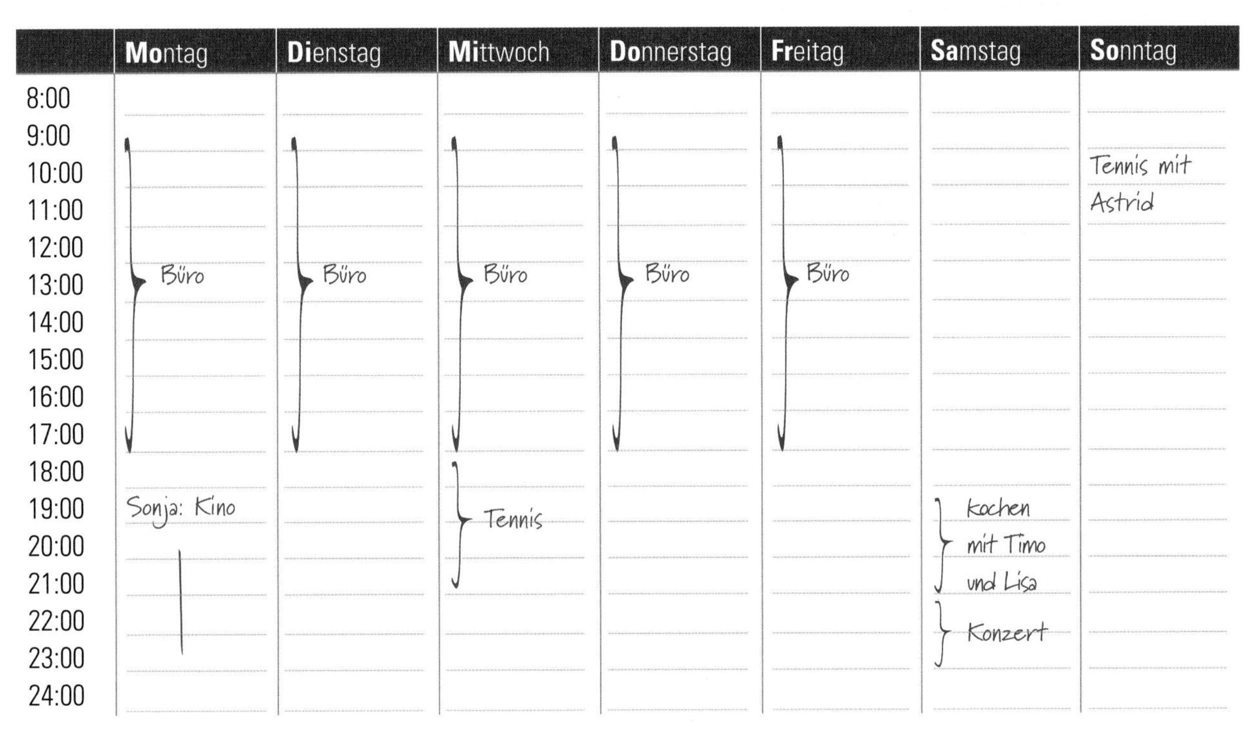

■ Vielleicht können wir mal wieder ins Café gehen?

▲ Ja, gern. / Ja, gute Idee!

■ Hast du am Montag Zeit?

▲ Wann denn?

■ Am Abend um 19 Uhr?

▲ Nein, leider nicht. Am Montagabend gehe ich mit Sonja ins Kino.

■ Und am ...?

▲ Ja, am ... habe ich Zeit.

■ Schön, dann bis ...

▲ Ja, bis dann.

KB | S. 59 **Lektion 10 | 6**

Wann kommst du an?

Partner B

a **Ihre Partnerin / Ihr Partner stellt Fragen.
Suchen Sie die passende Antwort. Achten Sie auf die richtige Satzstellung.**

■ Wann kommst du an?
▲ Ich komme um 12 Uhr 45 an.

anrufen  – ich – heute Abend – dich

auf Gleis 12 – abfahren – der Zug

einkaufen  – und – Butter – Brot – wir

am Hauptbahnhof – aussteigen  – wir

um – ankommen – ich – 12:45 Uhr

b **Fragen Sie jetzt Ihre Partnerin / Ihren Partner und notieren Sie die Antworten.**

■ Wo steigst du ein?
▲ Ich steige auf Gleis 10 ein.

1 einsteigen – wo – du — Auf Gleis 10.
2 wann – der Zug – ankommen — Um ________
3 fernsehen – wann – ihr – heute — Heute ________
4 aussteigen – wo – er — ________
5 einkaufen – du – was — ________ und ________

KB | S. 67 **Lektion 12 | 7**

Besondere Aktivitäten: Hast du schon einmal …?

> bin geschwommen
> bin gesegelt
> bin gesprungen
> INFO

a Schreiben Sie zu zweit die Fragen.

	Frage	Name
1 Karneval feiern	Hast du schon einmal Karneval gefeiert?	
2 nach Australien fliegen		
3 Pyramiden von Gizeh sehen		
4 im Pazifik schwimmen		
5 über die Nordsee segeln		
6 nach Berlin fahren		
7 Käsefondue essen		
8 Fallschirm springen		
9 Weißbier trinken		

b Wer hat das schon gemacht?
Fragen Sie im Kurs und notieren Sie die Namen. Finden Sie zu jeder Aktivität mindestens eine Person?

Eine E-Mail schreiben

a Lesen Sie Davids Kalender und schreiben Sie zu zweit eine E-Mail.

	MONTAG 29.05.	DIENSTAG 30.05.
08^{00}	8:30 – 10:30 Büro / arbeiten	
09^{00}		
10^{00}	10:30 – 11:00 Termin Dr. Gregarek	
11^{00}		
12^{00}	12:30 – 13.30 mit Lutz essen	
13^{00}	13:30 – 16:00 Büro / arbeiten	
14^{00}		
15^{00}		
16^{00}	16:00 – 17:00 einkaufen	
17^{00}		
18^{00}	18:30 Fußball spielen	
19^{00}		
20^{00}		

NOTIZEN:

Lena anrufen – Geburtstag!

Betreff: Wie geht's?

Lieber David,
geht's Dir gut? Gibt's was Neues? Was hast Du denn heute alles gemacht?
Liebe Grüße
Sabine

Betreff: Re: Wie geht's?

Liebe Sabine,

also, von ______ bis ______ habe ich ______________.
Und ______________ hatte ich einen Termin mit ______________. Dann ______ ich ______________
______________.
Wir haben uns ja lange nicht gesehen und hatten viel Spaß ☺.
Am Nachmittag ______________
und dann ______________.
Und am Abend ______________.
Ach ja, und ______________ Lena ______________.
Sie hat heute ja ______________.

Und Du, was hast Du gemacht?

Liebe Grüße
David

b Und Sie? Was haben Sie heute / gestern / letzte Woche gemacht? Schreiben Sie eine E-Mail an Ihre Partnerin / Ihren Partner.

WORTLISTE

Die alphabetische Wortliste enthält die neuen Wörter dieses Buches mit Angabe der Seiten, auf denen sie das erste Mal vorkommen. Wörter, die für die Prüfungen der Niveaustufen A1, A2 und B1 nicht verlangt werden, sind kursiv gedruckt. Bei allen Wörtern ist der Wortakzent gekennzeichnet: Ein Punkt (a) heißt kurzer Vokal, ein Unterstrich (a) heißt langer Vokal. Nomen mit der Angabe (Sg.) verwendet man (meist) nur im Singular. Nomen mit der Angabe (Pl.) verwendet man (meist) nur im Plural. Trennbare Verben sind durch einen Punkt nach der Vorsilbe gekennzeichnet (ab·fahren).

die (Ehe)Frau, -en 19
der (Ehe)Mann, ¨er 19
die Aalsuppe, -n 52
ab (... Uhr) 39
der Abend, -e 10
aber *(Modalpartikel)* 26
aber 14
ab·fahren 59
ab·holen 59
die Absage, -n 45
absagen 48
der Abschied, -e 12
die Abschiedsparty, -s 88
absolut 53
ach ja 63
achten auf 88
Achtung! 58
das Adjektiv, -e 25
die Adresse, -n 32
(das) Ägypten 75
ähnlich 78
der Akkusativ, -e 33
die Aktivität, -en 67
das Aktivitäten-Bingo, -s 81
alle 31
allein 14
alles 40
die Alltagsaktivität, -en 61
das Alphabet, -e 9
als (arbeiten als) 14
also 57
alt 15
das Alter, - 15
am meisten 84
am (+ Datum) 23
der/die Amerikaner/-in, -/-nen 22
an *(lokal)* 30
an·bieten 25
andere 9
an·fangen 66
die Angabe, -n 76
an·kommen 57
an·kreuzen 9
die Anrede (Sg.) 32
der Anruf, -e 36
an·rufen 57
an·sehen 13
die Antwort, -en 76
antworten 73
der Apfel, ¨ 50
der Apfelsaft, ¨e 54
der Apfelstrudel, - 52
der Appetit: guten Appetit 50
der April, -e 66
arbeiten 11
der Arbeitgeber, - 15
arbeitslos 78
der Arbeitsplatz, ¨e 33
der Architekt, -en 13
der Artikel, - 26
der Artikeltanz, ¨e 26
der Arzt/die Ärztin, ¨e/-nen 14
auch 10
auf (auf Seite) 11
auf *(lokal)* 76
auf Wiederschauen (Ö/Süddt.) 22
auf Wiedersehen 10
der Aufbau (Sg.) 39
die Aufgabe, -n 78
auf·hören 66
die Auflösung, -en 20
auf·passen 60
auf·räumen 62
auf·stehen 62
das Auge, -n 41
der Augenarzt, ¨e 29
der August, -e 66
die Auktion, -en 84
aus 9
aus (Glas ...) 30
die Ausbildung, -en 14
der Ausdruck, ¨e 60
der Ausflug, ¨e 43
aus·füllen 29
der Ausklang, ¨e 24
die Aussage, -n 12
die Aussicht, -en 71
aus·steigen 57
die Ausstellung, -en 46
das Auto, -s 44
der Autor, -en 37
das Baby, -s 21
backen 42
der Bahnhof, ¨e 57
der Bahnsteig, -e 58
bald 21
der Ball, ¨e 36
die Bar, -s 47
das Beachvolleyball (Sg.) 53
beantworten 76
bearbeiten 53
bedanken sich 29
bedeuten 55
beenden 57
das Befinden (Sg.) 9
begrüßen (sich) 9
die Begrüßung (Sg.) 12
behalten 76
bei (+ Person) 38
bei (arbeiten bei) 14
das Beispiel, -e 39
bekannt- 11
bekommen 30
(das) Belgien 24
bequem 71
das Beratungsgespräch, -e 25
die Bergbahn, -en 71
der Beruf, -e 13
beruflich 14
beschreiben 29
die Beschreibung, -en 84
besichtigen 71
besondere 67
besonders 47
bestellen 32
die Bestellnummer, -n 32
die Bestellung, -en 32
besuchen 54
der Besucher, - 39
der Betreff, -e 48
die Betriebsfeier, -n 70
das Bett, -en 25
die Bewegung, -en 63
bewerten 25
das Bier, -e 54
das Bierglas, ¨er 38
bieten 84
das Bild, -er 17
bilden 72
das Bildlexikon, -lexika 12
der Bildschirm, -e 35
billig 26
die Biochemie (Sg.) 21
bis (12 Jahre) 39
bis (5 bis 6) 66
bis (dann/morgen) 47
bitte sehr 50
bitte 18
die Bitte, -n 44
bitten um 12
Bitteschön 31
blau 30
der Bleistift, -e 30
der Blog, -s 53
blühen 69
der Botanische Garten, ¨ 71
der Braten, - 50
brauchen 26
braun 30
die Briefmarke, -n 34
die Brille, -n 29
das Brillenmodell, -e 30
bringen 63
das Brot, -e 50
das Brötchen, - 53
der Bruder, ¨ 18
das Buch, ¨er 30
der Buchstabe, -n 24
buchstabieren 12
das Büro, -s 33
der Bus, -se 58
die Butter (Sg.) 51
das Café, -s 46
der Cappuccino, -s 59
das Cello, - s/Celli 53
der Cent, -s 27
der Chat, -s 45
der Chef, -s 34
der Chemiefacharbeiter, - 23
der Clip, -s 22
der Club, -s 69
cm (der Zentimeter, -) 38
der Comic, -s 30
der Computer, - 33
cool 37
das Corned Beef, -s 55
die Couch, -s 27
das Croissant, -s 70
die Currywurst, ¨e 54
da 40
dabei 71
danach 69
(das) Dänemark 16
Danke schön 90
danke sehr 40
danke 10

Danke: vielen Dank 50
dann 19
darauf 32
daraus 55
das 9
das: das ist ... 9
dauern 66
dazu 55
dazu·geben 55
dein/e 17
denken 63
denn (*Modalpartikel*) 25
der 16
der Designer, - 26
die Designer-Brille, -n 30
das Designer-Modell, -e 30
die Designer-Tasche, -n 84
das Dessert, -s 51
deutsch 9
der Deutschkurs, -e 62
(das) Deutschland 10
deutschsprachig 23
der Dezember, - 63
diagonal 81
der Dialog, -e 18
die Diashow, -s 70
dich 56
die (*Plural*) 9
die (*Singular*) 10
der Dienstag, -e 47
die Dienstreise, -n 62
diese- 33
digital 32
diktieren 12
das Ding, -e 29
der Diplom-Informatiker, - 13
dir: Wie geht es dir? 11
die Disco, -s 46
doch (ja, nein, doch) 17
doch (*Modalpartikel*) 37
der Dom, -e 69
der Donnerstag, -e 47
dorthin 67
Dr. (Doktor) 13
der Drehbuchausschnitt, -e 17
drucken 35
der Drucker, - 35
du 9
dunkel- (grün) 30
durch 60
die Durchsage, -n 57
der Durst (Sg.) 49
ebenfalls 50
das Echo, -s 15
eckig 30
das Ei, -er 51
der Eiersalat, -e 90
eigene 87
die Eigenschaft, -en 84
ein bisschen 20
ein/e 9
einfach 37
ein·fahren 58
ein·kaufen 55
ein·laden 48
die Einladung, -en 45
einmal 53
ein·steigen 57
der Eintritt, -e 39
die Einweihungsparty, -s 91
das Eis (Sg.) 51
elegant 30
die Eltern (Pl.) 17
die E-Mail, -s 32
Ende: am Ende 12
endlich 53
die Endung, -en 35
(das) Englisch 17
der Enkel/-in, -/-nen 19
entschuldigen 59
die Entschuldigung, -en 31
er 9
der Erdäpfelsalat, -e 54
ergänzen 10
das Ergebnis, -se 23
erinnern (sich) an 24
erst 50
erste 24
erzählen 36
es 25
das Essen, - 48
essen 49
die Essgewohnheit, -en 49
das Etikett, -e 84
etwa 66
etwas 74
der Euro, -s 26
der/das Event, -s 66
exklusiv 84
extra 55
extrem 30
die Fähigkeit, -en 41
fahren 42
die Fahrt, -en 71
der Fallschirm, -e 95
falsch 73
die Familie, -n 17
die Familiengeschichte, -n 19
das Familienmitglied, -er 19
der Familienname, -n 11
der Familienstand (Sg.) 13
die Farbe, -n 29
farbig 20
der Fasching (Sg.) 66
das Faschingsfest, -e 70
die Fasnacht (Sg.) 66
fast 43
der Favorit, -en 52
das Fax, -e 32
der Februar, -e 66
fehlen 73
fehlend 75
der Fehler, - 39
feiern 65
feminin 20
das Fernsehen (Sg.) 46
fern·sehen 58
fertig (sein) 21
das Fest, -e 65
das Festival, -s 66
das Feuerzeug, -e 30
der Film, -e 22
die Film-Station, -en 22
finden 14
(das) Finnisch 20
die Firma, Firmen 34
der Fisch, -e 51
die Fischsuppe, -n 51
die Flasche, -n 30
fleißig 63
fliegen 65
der Flohmarkt, ¨-e 39
die Flöte, -n 53
der Flughafen, ¨ 57
das Flugzeug, -e 59
die Form, -en 29
formell 73
das Formular, -e 29
das Foto, -s 13
der Fotoapparat, -e 31
die Fotografie, -n 21
fotografieren 42
die Foto-Story, -s 22
die Frage, -n 76
der Fragebogen, ¨ 35
fragen 9
(das) Frankreich 10
(das) Französisch 20
die Frau, -en (Ehefrau) 18
die Frau, -en 10
der Frauen-Ausflug, ¨-e 53
frei: Eintritt frei 39
der Freitag, -e 47
die Freizeit (Sg.) 43
die Freizeitaktivität, -en 41
die Fremdsprache, -n 21
freuen (sich) 53
der Freund, -e/
die Freundin, -nen 19
frisch 55
der Friseur, -e 14
früh 72
früher 55
die Frühjahrs-Aktion, -en 30
der Frühling, -e 66
das Frühlings-Angebot, -e 30
das Frühlings-Wochenende, -n 69
das Frühstück (Sg.) 49
frühstücken 62
die Führerscheinprüfung, -en 70
für 30
der Fußball, ¨-e: Fußball spielen 42
das Fußballspiel, -e 54
ganz 56
gar: gar nicht 42
der Garten, ¨ 53
der Gast, ¨-e 90
der Gasthof, ¨-e 54
geben 59
geben: es gibt 65
das Gebiet, -e 20
geboren sein 23
das Geburtsdatum, -daten 32
der Geburtstag, -e 89
die Geburtstagsfeier, -n 70
gefallen 67
der Gegenstand, ¨-e 30
gehen 21
gehen: das geht nicht 44
gehen: Wie geht's 9
gelb 30
gemeinsam 15
genau 76
genießen 71
geöffnet 39
das Gepäck (Sg.) 59
gerade 58
gern 32
der Geschäftspartner, - 63
das Geschenk, -e 62
geschieden 14
das Geschnetzelte (Sg.) 54
die Geschwister (Pl.) 19
das Gespräch, -e 10
das Gestell, -e 30
gestern 61
das Getränk, -e 54
gewinnen 76
die Gewürzgurke, -n 55
die Gitarre, -n 41
das Glas, ¨-er 30
glauben 13
gleich 63
gleichfalls 90
das Gleis, -e 59

WORTLISTE

glücklich 56
die Grammatik, -en 9
grillen 53
groß 25
(das) Großbritannien 77
die Großeltern (Pl.) 19
die Großmutter, ¨ 19
der Großvater, ¨ 19
Grüezi 22
grün 30
der Grünkohl (Sg.) 54
die Gruppe, -n 72
Grüß Gott 22
der Gruß, ¨e: liebe Grüße 46
der Gruß, ¨e: schöne Grüße 34
der Gruß, ¨e: herzliche Grüße 48
das Gulasch (Sg.) 54
günstig 26
gut 10
gute Nacht 11
guten Abend 10
guten Morgen 10
guten Tag 10
haben 13
halb (sechs) 46
hallo 9
der Halt, -e/-s 58
die Haltestelle, -n 59
der Händler, - 39
das Handtuch, ¨er 38
das Handy, -s 13
hässlich 80
der Hauptbahnhof, ¨e 59
das Hauptgericht, -e 51
die Hausaufgabe, -n 62
die Hausnummer, -n 32
die Heimatstadt, ¨e 21
heißen 9
der Herbst, -e 67
die Herkunft, ¨e 12
der Herr, -en 10
herzlich: herzlichen Dank 43
heute 34
hier 22
die Hilfe, -n 14
der Historiker, -/ die Historikerin, -nen 14
der Hit, -s 72
das Hobby, -s 21
die Hochschule, -n 74
die Hochzeit, -en 65
höflich 48
holen 70
das Holz, ¨er 30
der Honig (Sg.) 53
hören 9
der Hörtext, -e 13
das Hotel, -s 69
das Hotelzimmer, - 80
House 72
der Hunger (Sg.) 49
ich 9
die Idee, Ideen 47
Ihnen: wie geht's Ihnen 10
ihr 15
Ihr/e 11
im (*temporal:* im Mai) 66
im (*lokal:* im Wörterbuch) 14
immer 30
in (ins Schwimmbad) 46
in (*lokal:* wohnen in) 15
der indefinite Artikel, - 29
(das) Indien 75
der Infinitiv, -e 58
die Information, -en 75
der Informationstext, -e 65
informell 73
informieren (sich) 57
der Ingenieur, -e/ die Ingenieurin, -nen 14
das Inlineskaten 54
interessant 62
das Internet (Sg.) 23
das Internet-Profil, -e 13
das Interview, -s 15
interviewen 19
(der) Iran 10
(das) Italien 24
das Italienisch 20
der IT-Spezialist, -en 13
ja (*Modalpartikel*) 40
ja 11
die Ja/Nein-Frage, -n 17
das Jahr, -e 15
die Jahreszahl, -en 66
die Jahreszeit, -en 65
das Jahreszeiten-Poster, - 68
der Januar, -e 66
der Jazz (Sg.) 53
jeder 31
jemand 74
das Jenga (Sg.) 70
jetzt 74
der Job, -s 14
jobben 89
der Journalist, -en/ die Journalistin, -nen 13
der Juli, -s 66
der Juni, -s 62
der Kaffee, -s 28
das Kalbfleisch (Sg.) 52
der Kalender, - 35
der Karneval (Sg.) 65
das Karnevalsfest, -e 66
das Kärtchen, - 14
die Karte, -n 76
die Kartoffel, -n 50
der Kartoffelsalat, -e 52
der Käse, - 49
das Käsebrot, -e 49
das Käsebrötchen, - 50
das Käsefondue, -s 55
das Kassler, - 54
der Kasten, ¨ 59
kaufen 62
kein/e 15
der Kellner, - / die Kellnerin, -nen 14
kennen 9
die Kette, -n 31
das Kettenspiel, -e 9
das Kind, -er 14
das Kino, -s 43
der Kirschbaum, ¨e 69
klar 40
der Klassenflohmarkt, ¨e 39
die Klassik (Sg.) 53
der Klassiker, - 30
die Kleidung (Sg.) 39
klein 25
klingen 66
die Kneipe, -n 47
der Knödel, - 54
kochen 21
der Koffer, - 58
der Kollege, -n / die Kollegin, -nen 19
die Kombination, -en 30
kommen (aus) 9
der Kommentar, -e 69
die Kommunikation (Sg.) 12
das Kompliment, -e 41
die Konferenz, -en 73
der König, -e 38
die Konjugation, -en 9
können 41
das Konto, Konten 53
das Konzert, -e 46
korrigieren 21
kosten 25
die Krankenschwester, -n 78
der Kuchen, - 49
der Küchenschrank, ¨e 62
die Kuckucksuhr, -en 32
der Kugelschreiber, - 31
der Kühlschrank, ¨e 49
der Kunde, -n 63
der Kunststoff, -e 30
der Kurs, -e 14
die Kurs-Auktion, -en 84
der Kursleiter, - / die Kursleiterin, -nen 62
der Kursraum, ¨e 84
das Kursrezeptbuch, ¨er 55
die Kursstatistik, -en 20
der Kursteilnehmer, - / die Kursteilnehmerin, -nen 51
kurz 13
das Kurzinterview, -s 54
der Labskaus (Sg.) 55
lachen 63
das Lager, - 30
die Lampe, -n 26
das Land, ¨er 9
der Ländername, -n 24
die Landeskunde (Sg.) 23
lang(e) 27
langweilig 63
der Laptop, -s 33
leben (in) 16
das Lebensmittel, - 49
die Leberknödelsuppe, -n 52
lecker 69
legen 76
der Lehrer, - / die Lehrerin, -nen 15
leicht (*einfach*) 27
leicht (*Gewicht*) 30
leid·tun: tut mir leid 44
leider 44
die Lektion, -en 24
lernen 40
das Lesemagazin, -e 21
lesen 13
letzte- 63
die Leute (Pl.) 65
Liebe/Lieber 48
lieben 43
lieber 71
Lieblings- 43
die Lieblingsband, -s 66
das Lieblingsessen, - 90
der Lieblingsfilm, -e 43
der Lieblingskomponist, -en 43
das Lieblingsrestaurant, -s 54
der Lieblingstag, -e 47
die Lieblingstageszeit, -en 47
Liebste/r 63
(das) Liechtenstein 24
das Lied, -er 9

der Liedtext, -e 72
der Link, -s 69
los 53
los·fahren 69
los·gehen 69
die Lösung, -en 24
(die) Lust, ¨-e 47
lustig 70
(das) Luxemburg 24
das Luxemburgisch 20
machen 14
machen: das macht ... 28
der Mai, -e 53
die Mail, -s 13
-mal (ein-/zwei-/ dreimal) 61
mal *(Modalpartikel)* 44
das Mal, -e (das letzte/ erste Mal) 65
malen 42
man 31
der Manager, - / die Managerin 23
manchmal 43
der Mann, ¨-er 18
die Männeruhr, -en 37
die Marke, -n 84
markieren 16
die Marmelade, -n 53
der März, -e 66
maskulin 20
das Material, -ien 29
der Matjes, - 54
die Maus, ¨-e 35
der Mechatroniker, - 14
mehr als 30
mehr: nicht mehr 23
mein/e 12
meinen 13
meist- 9
melden (sich) 36
die Menge, -n 32
der Mensch, -en 24
das Metall, -e 30
der Meter, - 39
(das) Mexiko 10
die Milch (Sg.) 49
die Million, -en 27
mindestens 95
das Mini-Projekt, -e 20
die Minute, -n 58
mischen 76
mit 10
mit·bringen 39
mit·singen 40
der Mittag, -e 47
das Mittagessen, - 63
die Mittagspause, -n 92
der Mittwoch, -e 47
der Mittwochabend, -e 47
die Möbel (Pl.) 25
das Möbelhaus, ¨-er 79
möchten 84
das Modalverb, -en 41
das Model, -s 23
der Moderator, -en / die Moderatorin, -nen 23
moderieren 23
modern 25
modisch 30
mögen 49
die Möglichkeit, -en 81
Moin, moin 22
der Monat, -e 65
der Montag, -e 47
der Montagabend, -e 47
der Morgen, - 10
morgen 47
das Museum, Museen 46
die Musik (Sg.) 10
das Musikfrühstück, -e 53
das Müsli, -s 49
die Mutter, ¨- 17
die Muttersprache, -n 28
na gut 39
nach (drei) 46
nach (fragen nach) 9
nach Hause 69
der Nachbar, -n 90
der Nachmittag, -e 45
nachmittags 63
der Nachname, -n 24
nach·sehen 85
nach·sprechen 12
nächste- 39
die Nacht, ¨-e 11
der Nachtflohmarkt, ¨-e 39
naja 37
der Name, -n 9
das Namensschild, -er 73
die Natur (Sg.) 43
natürlich 44
die Negation, -en 13
der Negativartikel, - 29
nehmen 59
nein 10
nennen 25
nett 67
neu 84
das Neujahr (Sg.) 66
neutral 28
die Neuware, -n 39
nicht 11
nicht mehr 80
nicht so (gut) 42
die Nichte, -n 21
nie 43
(die) Niederlande 24
das Niederländisch 20
noch einmal 11
noch 9
das Nomen, - 26
der Nominativ, -e 28
norddeutsch 55
(das) Norddeutschland 55
die Nordsee 89
(das) Norwegen 82
notieren 9
das Notizbuch, ¨-er 35
die Notiz, -en 19
der November, - 66
die Nummer, -n 39
nur 26
ob 30
oben: von oben 71
das Obst (Sg.) 51
oder 11
oder? 76
öffentlich 71
oft 43
ohne 30
okay 74
der Oktober, - 66
das Oktoberfest, -e 65
die Oma, -s 18
der Onkel, - 49
online 53
der Opa, -s 17
die Open-Air-Party, -s 66
die Optik (Sg.) 30
orange 30
die Orange, -n 51
der Orangensaft, ¨-e 53
die Orchesterprobe, -n 62
das Orchester-Wochenende, -n 69
ordnen 26
der Ort, -e 24
(das) Österreich 10
das Paar, -e 74
das Pantomime-Spiel, -e 63
dasPapier, -e 30
der Park, -s 69
das Partizip, -ien 63
der Partner, - / die Partnerin, -nen 11
die Party, -s 73
passen 26
passend 24
passieren 65
die Pause, -n 63
der Pazifik (Sg.) 95
die Pellkartoffel, -n 54
perfekt 21
das Perfekt (Sg.) 61
die Perfekt-Form, -en 63
die Person, -en 11
das Personalpronomen, - 25
persönlich 32
Persönliches 13
die Persönlichkeit, -en 11
der Pfeffer (Sg.) 55
die Physik (Sg.) 17
die Pizza, -s / Pizzen 51
das Plakat, -e 14
planen 90
das Plastik (Sg.) 30
der Plural (Sg.) 13
die Pluralform, -en 35
PLZ (die Postleitzahl, -en) 32
(das) Polen 24
Polnisch 20
die Pommes frites (Pl.) 54
die Popmusik (Sg.) 72
(das) Portugal 78
die Position, -en 12
der Possessivartikel, - 17
das Poster, - 23
die Postkarte, -n 38
das Praktikum, Praktika 14
praktisch 25
die Präposition, -en 16
das Präsens (Sg.) 63
präsentieren 23
der Preis, -e 25
die Privatreise, -n 62
pro 39
das Problem, -e 27
das Produkt, -e 31
die Produktbeschreibung, -en 39
die Produktinformation, -en 29
das Produktmerkmal, -e 84
der Produktname, -n 32
das Profil, -e 53
der Profilname, -n 87
das Projekt, -e 23
der Prominente, -n 23
das Pronomen, - 31
die Psychologie (Sg.) 37
der Punk (Sg.) 72
der Punkt, -e 91
die Puppe, -n 38
das Puzzle, -s 27

WORTLISTE

die Pyramide, -n 95
das Rad, ¨-er: Rad fahren 43
das Radio, -s 81
raten 19
das Rätoromanisch 20
das Rätsel, - 73
rauchen 44
reagieren 32
recherchieren 71
die Rechnung, -en 34
die Rechtschreibung (Sg.) 64
reden 63
regelmäßig 64
der Regenschirm, -e 38
(der) Reggae (Sg.) 72
die Reihe, -n: an der Reihe sein 76
die Reihenfolge, -n 71
der Reis (Sg.) 51
die Reise, -n 57
der Reise-Blog, -s 69
der Rentner, - / die Rentnerin, -nen 82
die Reportage, -n 22
der Rest, -e 55
das Restaurant, -s 47
das Resteessen, - 55
das Rezept, -e 55
richtig 15
der Ring, -e 85
die Rockmusik (Sg.) 66
der Rockmusik-Fan, -s 66
die Rolle, -n 85
das Rosa (Sg.) 69
die Rösti (Pl.) 52
rot 29
die Rote Grütze (Sg.) 52
der Rotkohl (Sg.) 54
der Rücken, - 80
rückwärts 32
rund 30
rund: rund um die Uhr 66
das Russisch 20
sagen 10
die Sahne (Sg.) 52
die Sahnesoße, -n 54
der Salat, -e 51
der Salsa, -s 47
das Salz (Sg.) 55
sammeln 35
der Samstag, -e 47
der Sänger, - 23
der Satz, ¨-e 21
die Satzklammer, -n 41
das Satzpuzzle, -s 59
die Satzstellung, -en 88

sauber machen 70
die Sauna, -s/Saunen 89
die S-Bahn, -en 58
das Schach: Schach spielen 42
schade 69
schaffen 70
der Schatz, ¨-e 63
der Schauspieler, - 14
schenken 90
der Schinken, - 49
das Schinkenbrot, -e 49
schlafen 62
schlecht 25
schließen 57
der Schlosspark, -s 69
der Schlüssel, - 31
der Schlüsselanhänger, - 38
schmecken 50
schnell 40
das Schnitzel, - 54
die Schokolade, -n 49
der Schokoladenkuchen, - 51
schon 22
schön 25
(das) Schottland 69
der Schrank, ¨-e 27
schreiben 73
das Schreibtraining, -s 16
schriftlich 48
die Schule, -n 74
der Schüler, - 14
schwanger 62
schwarz 30
(das) Schweden 78
das Schwedisch 20
der Schweinebraten, - 54
das Schweinefleisch (Sg.) 69
(die) Schweiz 10
schwer 27
die Schwester, -n 17
das Schwimmbad, ¨-er 45
schwimmen 42
der See, -n 33
das Seefahreressen (Sg.) 55
segeln 95
sehen 22
die Sehenswürdigkeit, -en 71
sehr 11
sein *(Verb)* 9
seit 23
die Seite, -n 11
der Sekretär, -e / die Sekretärin, -nen 15
selbst 16
senkrecht 81
der September, - 66

Servus (Ö/Süddt.) 22
der Sessel, - 26
die Show, -s 23
sich 13
sie (Plural) 15
sie (Singular) 11
Sie 9
das Silvester, - 65
singen 21
der Single, -s 14
der Singular (Sg.) 9
der Sitzplan, ¨-e 9
der Ska (Sg.) 72
das Skaten 21
der Ski, -er: Ski fahren 42
(die) Slowakei 24
das Slowakisch 20
(das) Slowenien 24
das Slowenisch 20
die SMS, - 33
so 11
das Sofa, -s 27
der Sohn, ¨-e 18
der Sommer, - 66
das Sonderangebot, -e 26
der Sonntag, -e 47
sortieren 48
das Souvenir, -e 38
(das) Spanien 10
das Spanisch 20
der Spaß, ¨-e: Spaß machen 43
spät: wie spät? 46
spät: zu spät 47
spazieren gehen 43
der Spaziergang, ¨-e 70
die Speise, -n 49
die Speisekarte, -n 51
die Spezialität, -en 55
das Spiegelei, -er 55
spielen 15
die Spielfigur, -en 91
sportlich 30
die Sprache, -n 17
die Sprachkenntnisse (Pl.) 17
sprechen 9
das Sprechtraining, -s 12
springen 95
die Stadt, ¨-e 74
der Stammbaum, ¨-e 23
stampfen 55
der Standpreis, -e 39
der Stapel, - 76
der Startpreis, -e 84
die Startseite, -n 53
der Steckbrief, -e 13
die Stelle, -n 74

stellen 88
das Sternzeichen, - 21
der Stichpunkt, -e 67
der Stift, -e 34
stöbern 39
die Straße, -n 32
die Straßenbahn, -en 58
der Stress (Sg.) 34
die Strophe, -n 56
das Stück, -e 37
der Student, -en / die Studentin, -nen 14
studieren 78
der Stuhl, ¨-e 26
die Stunde, -n 12
suchen 14
(das) Süditalien 69
(das) Südkorea 37
super 15
die Super-Brille, -n 30
der Super-Preis, -e 30
die Suppe, -n 50
surfen 42
süß 54
der Swing (Sg.) 72
die Szene, -n 90
die Tabelle, -n 18
die Tafel, -n 30
der Tag, -e 10
der Tagesablauf, ¨-e 61
die Tageszeit, -en 45
täglich 61
die Tante, -n 62
tanzen 26
die Tasche, -n 31
die Tasse, -n 38
die Tätigkeit, -en 62
tauschen 85
das Taxi, -s 58
der Techno (Sg.) 72
der Tee, -s 49
der Teilnehmer, - / die Teilnehmerin, -nen 67
das Telefon, -e 13
das Telefonat, -e 57
das Telefongespräch, -e 33
telefonieren 41
die Telefonnummer, -n 36
die Telefonstrategie, -n 33
der Teller, - 38
temporal 45
das Tennis: Tennis spielen 42
der Teppich, -e 27
der Termin, -e 34
der Terminkalender, - 61
teuer 26

der Text, -e 13
das Theater, - 43
der Tipp, -s 69
der Tisch, -e 25
die Tochter, ¨ 18
toll 37
die Tomate, -n 51
der Tomatensalat, -e 49
der Top-Designer, - / die Top-Designerin, -nen 30
das Top-Party-Erlebnis, -se 67
total 69
der Tourist, -en 71
die Touristeninformation, -en 71
die Tradition, -en 39
traditionell 55
die Tram, -s 71
treffen 42
trennbares Verb 57
trinken 50
der/das Trödel-Event, -s 39
der Trödelmarkt, ¨e 39
der Trödler, - 38
(das) Tschechien 24
das Tschechisch 20
tschüs 9
das T-Shirt, -s 38
(die) Türkei 10
typisch 52
die U-Bahn, -en 57
üben 11
über (mehr als) 69
über (sprechen über) 13
überlegen 74
überprüfen 91
die Überschrift, -en 53
übersetzen 28
Uf Wiederluege mitenand (CH) 22
Uhr (13 Uhr) 34
die Uhr, -en 31
die Uhrzeit, -en 45
um (Uhr) 45
der Umlaut, -e 12
um·steigen 59
und 9
das Ungarisch 20
(das) Ungarn 24
ungefähr 66
unhöflich 48
die Uni, -s 89
die Universität, -en 74
unregelmäßig 64
unser 30
unter 76
der Unterschied, -e 35
unterwegs 69
(die) USA 21
das Vanilleeis (Sg.) 52
die Variante, -n 73
der Vater, ¨ 18
das Velo, -s (CH) 71
verabreden (sich) 45
verabschieden (sich) 9
die Veranstaltung, -en 53
der Veranstaltungshinweis, -e 39
das Verb, -en 12
verbinden 54
die Verbposition, -en 45
das Vergangene 61
die Vergangenheit, -en 68
vergessen 72
vergleichen 10
verheiratet 13
verkaufen 30
der Verkäufer, - / die Verkäuferin, -nen 15
der Verkehr (Sg.) 69
die Verkehrsbetriebe (Pl.) 71
das Verkehrsmittel, - 57
das Verkehrsnetz, -e 71
verschiedene 30
verstehen 15
versteigern 84
verwenden 42
das Videotagebuch, ¨er 70
viele 20
vielen Dank 28
vielleicht 47
Viertel vor/nach 46
die Visitenkarte, -n 13
der Vokalwechsel, - 17
von (von Beruf) 14
von ... bis 15
von (Tochter von) 23
vor (drei) 46
vorbei sein 69
vor·lesen 78
die Vorliebe, -n 49
der Vormittag, -e 47
der Vorname, -n 11
der Vorschlag, ¨e 45
die Vorsicht (Sg.) 58
die Vorspeise, -n 51
vor·spielen 43
vorstellen (sich/andere) 9
die Waage, -n 21
waagerecht 81
wählen 23
(das) Wales 69
wandern 68
die Wanduhr, -en 32
wann? 47
die Ware, -n 39
warum 46
was 10
das Wasser, ¨ 54
das Wassertaxi, -s 71
der Wasserturm, ¨e 69
die Webseite, -n 71
der Weg, -e 70
der Wein, -e 55
weiß 30
das Weißbier, -e 95
weiter·hören 10
weitere 59
welche 9
die Welt, -en 66
die Wendung, -en 12
wenige 71
wer 9
die W-Frage, -n 9
wichtige 84
der Widder, - 21
wie (so wie) 30
wie lange 71
wie oft 43
wie viel(e) 20
wie 9
wie: wie bitte 12
wieder 76
die Wiederholung, -en 12
das Wiederhören: auf Wiederhören 33
das Wiener Schnitzel, - 52
willkommen 53
der Winter, - 67
wir 14
wirklich 26
wirklich? 61
wissen 9
wo 15
die Woche, -n 47
das Wochenende, -n 50
der Wochentag, -e 45
woher 9
wohin 61
wohl 41
wohnen 15
der Wohnort, -e 15
wollen 34
das Wort, ¨er 78
die Wortbildung, -en 13
das Wörterbuch, ¨er 14
das Wortfeld, -er 9
wunderschön 56
würfeln 73
das Würfelspiel, -e 91
die Wurst (Sg.) 53
würzen 55
die Zahl, -en 13
die Zahlenreihe, -n 73
die Zahlenschlange, -n 27
zeichnen 9
zeigen 25
die Zeit: Zeit haben 34
die Zeitung, -en 63
der Zentimeter, - 38
zerschneiden 59
der Zettel, - 19
ziehen 76
das Zimmer, - 80
die Zitrone, -n 51
der Zoo, -s 71
zu (etwas suchen zu) 23
zu (*lokal*: zur/zum) 61
zu (zu Abend) 70
zu (zu groß/klein) 25
zu Hause 55
zuerst 81
der Zug, ¨e 58
zu·ordnen 10
das Zürcher Geschnetzelte 52
zurück·bleiben 58
zurück·gehen 21
zurzeit 21
zu·sagen 48
zusammen·gehören 30
zusammen·leben 14
zusammen 72
zusammen·arbeiten 78
zusammen·setzen 79
zusammen·stellen 51
der Zustand (Sg.) 84
die Zutat, -en 55
zu·werfen 36
die Zwiebel, -n 51
zwischen 39

QUELLENVERZEICHNIS

Cover: © Getty Images/Image Source
Seite 10: Fahnen © fotolia/createur
Seite 11: von links © action press/Henning Schacht; © Joseph Carl Stieler/Bridgeman/Getty Images
Seite 14: Bildlexikon von links © iStockphoto/toddmedia; © fotolia/Jonny; © iStockphoto/tunart; © fotolia/Albert Schleich; © iStockphoto/claudiaveja; © iStockphoto/ImageegamI; © PantherMedia/Andres Rodriguez
Seite 15: Bildlexikon von links © irisblende.de; © iStockphoto/Diana Lundin; © iStockphoto/Viorika; © irisblende.de; © iStockphoto/goldenKB
Seite 16: © iStockphoto/TriggerPhoto
Seite 19: oben von links © fotolia/Galina Barskaya; © iStockphoto/JJRD; unten rechts © fotolia/Benicce
Seite 20: Karte: © www.cartomedia-karlsruhe.de; Fahnen © fotolia/createur
Seite 21: rechts von oben © iStockphoto/Ryan Lane; © iStockphoto/pink_cotton_candy
Seite 22: Clip 1 – 3: Mingamedia Entertainment GmbH, München
Seite 23: © Getty Images
Seite 26: Bildlexikon von links © iStockphoto/tiler84; © iStockphoto/Luso; © iStockphoto/twohumans; © iStockphoto/Carlos Alvarez; © iStockphoto/IlexImage
Seite 27: Bildlexikon von links © iStockphoto/jallfree; © iStockphoto/simonkr; © iStockphoto/terex; © iStockphoto/sjlocke; 1 © iStockphoto/temniy; 2: Bild innen © DIGITALstock/nitroziklop; Rahmen © iStockphoto/winterling; 3 © iStockphoto/Viorika
Seite 28: A © Corbis/image100; E © PantherMedia/avava
Seite 30: Bildlexikon von links © fotolia/Daniel Burch; © iStockphoto/deepblue4you; © fotolia/Taffi; © iStockphoto/karandaev; © iStockphoto/eldadcarin; 1 © fotolia/Feng Yu; 2 © fotolia/hawi64; 3 © fotolia/Flexmedia; Übung 3b oben von links © iStockphoto/pzAxe; © fotolia/anna k.; © fotolia/April Koehler: Übung 3b unten von links © iStockphoto/AntiMartina; © iStockphoto/LdF
Seite 31: Bildlexikon von links © fotolia/Klaus Eppele; © iStockphoto/Paula Connelly; © iStockphoto/phant; © iStockphoto/zentilia; © iStockphoto/DesignSensation; Übung 6 von links © iStockphoto/AlbertSmirnov; © iStockphoto/golovorez; © iStockphoto/TABoomer; © fotolia/Kramografie; © iStockphoto/AlesVeluscek
Seite 32: von links © iStockphoto/dja65; Digitaluhr © mit freundlicher Genehmigung der Valentin Elektronik GmbH
Seite 34: Bildlexikon von links © fotolia/Fatman73; © Hueber Verlag; © iStockphoto/milosluz; © fotolia/Timo Darco; © iStockphoto/raclro; © PantherMedia/Reiner Wuerz; © iStockphoto/dcbog
Seite 35: Bildlexikon von links © fotolia/Michael Möller; © iStockphoto/jaroon; © iStockphoto/lucato; © iStockphoto/chas53; © iStockphoto/nico_blue; © fotolia/Michael Möller; © PantherMedia/Dietmar Stübing; © iStockphoto/Viktorus
Seite 38: Clip 4 – 6: Mingamedia Entertainment GmbH, München
Seite 39: oben von links © imago/suedraumfoto; © imago/fotokombinat; © imago/suedraumfoto; unten © iStockphoto/phant
Seite 42: Bildlexikon von links © iStockphoto/Jan-Otto; © digitalstock/Baum; © iStockphoto/NickS; © fotolia/Franz Pfluegl; © iStockphoto/attator; © PantherMedia/Thomas Lammeyer; © iStockphoto/hidesy; 1 © PantherMedia/Alexander Rochau; 2 © PantherMedia/Jenny Sturm; 3 © iStockphoto/NejroN; 4 © fotolia/Simone van den Berg; 5 © iStockphoto/jimd_stock; 6 © fotolia/JackF; 7 © PantherMedia/Edward Bock; 8 © fotolia/Galina Barskaya; 9 © fotolia/Jacek Chabraszewski; 10 © iStockphoto/andyross
Seite 43: Bildlexikon von links © fotolia/Thomas Oswald; © fotolia/Talex; © iStockphoto/tacojim; © iStockphoto/anouchka; © fotolia/Monkey Business; © iStockphoto/bluestocking; © iStockphoto/trait2lumiere
Seite 44: © iStock/hocus-focus
Seite 45: unten von links © iStockphoto/drbimages; © iStockphoto/keeweeboy
Seite 46: Bildlexikon von links © digitalstock/A. Lubba; © iStockphoto/luoman; © iStockphoto/mpalis; © iStockphoto/kgelati1; © iStockphoto/Franky De Meyer; © pitopia/David Büttner
Seite 47: Bildlexikon von links © iStockphoto/Editorial12; © iStockphoto/Cimmerian; © iStockphoto/manley099; © iStockphoto/alicat; © digitalstock; Übung 6 von links © iStockphoto/drbimages; © fotolia/Bobby Earle
Seite 50: Bildlexikon von links © iStockphoto/jerryhat; © iStockphoto/PLAINVIEW; © PantherMedia/Doris Heinrichs; © iStockphoto/monica-photo; © fotolia/Aleksejs Pivnenko; © fotolia/gtranquillity; © iStockphoto/adlifemarketing; © iStockphoto/Anna Sedneva
Seite 51: Bildlexikon von links © iStockphoto/RedHelga; © fotolia/seen; © iStockphoto/duncan1890; © fotolia/Olga Patrina; © iStockphoto/Laks-Art; © fotolia/Tomboy2290; © fotolia/sumnersgraphicsinc; © fotolia/Birgit Reitz-Hofmann; Würfel © iStockphoto/arakonyunus
Seite 52: oben von links © fotolia/Christa Eder; © Stockfood/Iden; Mitte von links © Stockfood/Bischof; © PantherMedia/Bernd Jürgens; unten von links © iStockphoto/HHLtDave5; © fotolia/Svenja98
Seite 53: rechts von oben © fotolia/Mareen Friedrich; © fotolia/fredredhat; © action press/Everett Collection
Seite 54: Clip 7 – 9: Mingamedia Entertainment GmbH, München

Seite 55: oben von links © iStockphoto/stockcam; © iStockphoto/Pumpa1; © fotolia/Carmen Steiner; unten © iStockphoto/donstock; Fahnen © fotolia/createur
Seite 56: Franz Specht, Weßling
Seite 58: Bildlexikon von links © iStockfoto/gmutlu; © fotolia/Daniel Hohlfeld; © iStockphoto/Leonsbox; © colourbox.com; © iStockphoto/Steve Mcsweeny; © Deutsche Bahn AG/Claus Weber; © PantherMedia/Robert Neumann; © iStockphoto/JVT
Seite 59: Bildlexikon von links © fotolia/Ilja Mašík; © iStockphoto/LordRunar; © PantherMedia/Detlef Schneider; © fotolia/Carmen Steiner; © iStockphoto/stasvolik; © fotolia/adisa; © iStockphoto/ollo
Seite 66: A © fotolia/El Gaucho; B © fotolia/Heinz Waldukat; C © dpa Picture-Alliance/DeFodi; D © action press/Peter Lehner
Seite 67: oben © iStockphoto/Avid Creative, Inc.; unten © PantherMedia/Rafael Angel Irusta Machin
Seite 68: oben von links © fotolia/margelatu florina; © fotolia/sonne Fleckl; unten von links © iStockphoto/konradlew; © PantherMedia/Daniel Schoenen
Seite 69: Reisefotos: Franz Specht, Weßling (3)
Seite 70: Clip 10 – 12: Mingamedia Entertainment GmbH, München
Seite 71: oben von links © colourbox; © Gunnar Knechtel/laif; © digitalstock; © Caro/Amruth; Übung 2 von oben © iStockphoto/aprott; © F1online
Seite 72: © fotolia/dpaint
Seite 73: © iStock/hocus-focus
Seite 75: von oben © action press/Henning Schacht; © SuperStock/Getty Images; © Joseph Carl Stieler/Bridgeman/Getty Images; © iStockphoto/Grafissimo; © Süddeutsche Zeitung Photo/Rue des Archives; © action press/Zuma Press; © dpa Picture-Alliance/Franz Hubmann; Karte © www.cartomedia-karlsruhe.de
Seite 76: © iStock/hocus-focus
Seite 77: von oben © action press/Henning Schacht; © SuperStock/Getty Images; © Joseph Carl Stieler/Bridgeman/Getty Images; © iStockphoto/Grafissimo; © Süddeutsche Zeitung Photo/Rue des Archives; © action press/Zuma Press; © dpa Picture-Alliance/Franz Hubmann
Seite 78: von oben © PantherMedia/Radka Linkova; © iStockphoto/PinkTag; © iStockphoto/Neustockimages; © iStockphoto/shmackyshmack; © iStockphoto/RichVintage; © PantherMedia/Günter Elbers
Seite 79: Tisch © fotolia/Stockcity; Stuhl © iStockphoto/YangYin; Lampe © iStockphoto/mandj98; Couch © fotolia/runzelkorn; Schrank © iStockphoto/scibak
Seite 82: von oben © PantherMedia/Radka Linkova; © iStockphoto/PinkTag; © iStockphoto/Neustockimages; © iStockphoto/shmackyshmack; © iStockphoto/RichVintage; © PantherMedia/Günter Elbers
Seite 83: von links © PantherMedia/Kati Neudert; © PantherMedia/Kati Neudert; © iStockphoto/MmeEmil; © fotolia/contrastwerkstatt
Seite 84: © fotolia/Kayros Studio
Seite 86: von links © PantherMedia/Kati Neudert; © PantherMedia/Kati Neudert; © iStockphoto/MmeEmil; © fotolia/contrastwerkstatt
Seite 90: von links © iStockphoto/Plesea Petre; © PantherMedia/Elmar Tomasi; © iStockphoto/Ljupco
Seite 95: von oben © iStockphoto/sculpies; © iStockphoto/Mlenny; © PantherMedia/Dagmar Richardt; © iStockphoto/Elnur; © PantherMedia/Gojaz Alkimson
Seite 96: © iStockphoto/Kemter

Alle übrigen Fotos: Florian Bachmeier, Schliersee
Bildredaktion: Iciar Caso, Hueber Verlag, München
Zeichnungen: Michael Mantel, Barum